Biblioteca Era

Rosario Castellanos

LOS CONVIDADOS DE AGOSTO

Rosario Castellanos

LOS CONVIDADOS DE AGOSTO

Ediciones ERA

Primera edición: 1964
Primera reimpresión: 1968
Segunda reimpresión: 1975
Tercera reimpresión: 1977
Cuarta reimpresión: 1979
Quinta reimpresión: 1981
Sexta reimpresión: 1982
Séptima reimpresión: 1985
Octava reimpresión: 1985
Novena reimpresión: 1988
Décima reimpresión: 1989
Decimoprimera reimpresión: 1989
Decimosegunda reimpresión: 1991
ISBN: 968-411-203-3

Avena 102, 09810 México, D. F.
Impreso y hecho en México
Printed and made in Mexico

a Manuel Quijano

INDICE

LAS AMISTADES EFIMERAS

> *. . . aquí sólo venimos a conocernos, sólo estamos de paso en la tierra.*
>
> POEMA NAHUATL ANONIMO

La mejor amiga de mi adolescencia era casi muda, lo que hizo posible nuestra intimidad. Porque yo estaba poseída por una especie de frenesí que me obligaba a hablar incesantemente, a hacer confidencias y proyectos, a definir mis estados de ánimo, a interpretar mis sueños y recuerdos. No tenía la menor idea de lo que era ni de lo que iba a ser y me urgía organizarme y formularme, antes que con actos, por medio de las palabras.

Gertrudis escuchaba, con sus grandes ojos atentos mientras maquinaba la manera como burlaría la vigilancia de las monjas del Colegio para entrevistarse con Oscar.

El noviazgo —apacible, tranquilo— presentaba todos los síntomas de que desembocaría en casamiento. Oscar era formal, respetuoso y llevaba unos cursos de electricidad por correspondencia. Gertrudis era juiciosa y su temprana orfandad le puso entre las manos la rienda de su casa y el cuidado de sus hermanos menores, con lo que se adiestró en los menesteres femeninos. Por lo demás nunca alarmó a nadie con la más mínima disposición para el estudio. Su estancia en el colegio obedecía a otros motivos. Su padre don Estanislao Córdova, viudo en la plenitud de la edad, llevaba una vida que no era conveniente que presenciaran sus hijos.

Para no escandalizar tampoco a los comitecos, se trasladó a la tierra caliente, donde era dueño de propiedades. En aquel clima malsano regenteaba fincas ganaderas y atendía la tienda mejor surtida del pueblo de La Concordia y sus alrededores.

Necesitaba mujer que lo asistiera y tuvo una querida y otra y otra, sin que ninguna le acomodara. Las despachó sucesivamente, con los mejores modos y espléndidos regalos. Hasta que decidió dejar los quebraderos de cabeza y casarse de nuevo. Alrededor de la mujer legítima era posible reunir a su familia disgregada.

Cuando Gertrudis supo la noticia, me encargó que le compusiera unos versos tristes, de despedida para Oscar. No muy tristes porque la ausencia sería breve. El estaba a punto de terminar los cursos e inmediatamente después abriría su taller. En cuanto empezara a rendirle ganancias, se casarían.

¡Qué lentamente transcurre el tiempo cuando se espera! Y a Gertrudis la impacientaban, además, las disputas con su madrastra, los pleitos de sus hermanos. La única compañía era la Picha, la menor de aquella casa, que la seguía como un perrito faldero. A la huerta,

para vigilar que estuviese aseada; al establo para re-
coger la leche; a la tienda, a cuyo frente la había puesto su padre.

La clientela era variada. Desde el arriero, que re-
quería bultos de sal, de piezas de manta, hasta el indio
que meditaba horas enteras antes de decidirse a adquirir
un paliacate de yerbiya o un machete nuevo.

También se servían licores y Gertrudis gritó la primera vez que un parroquiano cayó redondo al suelo,
con la copa vacía entre los dedos crispados. Ninguno
de los asistentes se inmutó. Las autoridades llegaron
con su parsimonia habitual, redactaron el acta y some-
tieron a interrogatorio a los testigos. Gertrudis se apla-
có al saber que un percance así era común. Si se trataba
de una venganza privada nadie tenía derecho a intervenir. Si era efecto del aguardiente fabricado por el
monopolio (que aceleraba la fermentación con el em-
pleo de sustancias químicas cuya toxicidad no se tomaba en cuenta), no había a quien quejarse.

Gertrudis comenzó a aburrirse desde el momento en
que levantaron el cadáver. Los siguientes ya no podían
sobresaltarla. Por lo demás, las cartas de Oscar estaban copiadas, al pie de la letra, del *Epistolario de los
enamorados*, del que ella poseía también un ejemplar.
Si por un lado le proporcionaba la ventaja de poder
contestarlas con exactitud, le restaba expectación ya
que era capaz de preverlas.

Del taller ni una palabra; de la fecha de la boda, menos. No resultaba fácil intercalar temas semejantes entre tantos suspiros y lágrimas de nostalgia. Era yo quien la mantenía al tanto de los acontecimientos. Oscar había empezado a quebrantar su luto. Con la antigua palomilla jugaba billar, iba a la vespertina los domingos y a las serenatas los martes y jueves. Permanecía fiel. No se le había visto acompañando a ninguna muchacha, ni siquiera por quitarle el mal tercio a sus amigos. Asistía a los bailes, y otras diversiones, con un aire de tristeza muy apropiado y decente. Pero se rumoraba que no estaba invirtiendo sus ahorros, como era de esperarse, en los materiales para montar el taller, sino en los preparativos de un viaje a México, cuyas causas no parecían claras.

Me gustaba escribir estas cartas: ir dibujando la figura imprecisa de Oscar, la ambigüedad de su carácter, de sus sentimientos, de sus intenciones. Fue gracias a ellas —y a mi falta de auditorio— que descubrí mi vocación.

Gertrudis se abanicaba con el papel y no cambiaba de postura en la hamaca. El calor la anonadaba, despojándola del ímpetu para sufrir, para rebelarse. Oscar... ¡qué extraño le parecía de pronto, este nombre! ¡Qué difícil de ubicar en una casa llena de mercancías, de recuas, de perros sarnosos! ¿Quién recuerda el tono con que se pronuncia la ternura si no se oyen más que los gruñidos de la madrastra, las imprecaciones del padre, el parloteo de la servidumbre y las órdenes de la clientela? Gertrudis misma era otra y no la que vivió en Comitán. En el colegio su futuro tenía un aspecto previsible. "Un lugar para cada cosa y cada cosa en su lugar." Tal era el lema de las clases de economía doméstica. Pero aquí no encontraba estabilidad alguna ni fijeza. Los objetos, provisionales siempre, se colocaban al azar. Las personas estaban dispuestas a irse. Las relaciones eran frágiles. A nadie le importaba, en este bochorno, lo que los demás hicieran. Las consecuencias de los actos se asumían a voluntad. Un juramento, una promesa, carecían de significación. Oscar, el tierrafriano, ya no reconocería a su novia. ¡Novia! ¡Qué término tan melindroso y tan hipócrita! Gertrudis reía, encaminándose al baño. Porque en La Concordia se bañaba entera, con el cuerpo desnudo, no se restregaba los párpados con la punta de los dedos mojados en agua tibia, procurando no salpicarse el resto de la cara, como en Comitán.

Gertrudis me aseguraba, en sus recados escritos a lápiz sobre cualquier papel de envoltura, que no tenía tiempo de contestar mis cartas más extensamente. Sus quehaceres... en realidad era perezosa. Se pasaba las horas muertas ante el mostrador de la tienda, entretenida en contemplar cómo el enjambre de moscas se atontaba sobre las charolas de dulces. Y si algún inoportuno venía a interrumpirla solicitando una insignificancia, lo fulminaba con los ojos, al tiempo que decía bruscamente: no hay.

Un mediodía turbó su somnolencia el galope de un caballo. Su jinete desmontó sudoroso y tenso y entró a la tienda pidiendo una cerveza. Tenía la voz tan reseca de sed, que Gertrudis tuvo que servirle tres botellas antes de que estuviera en condiciones de hablar. Lo hizo entonces y no se refirió a sí mismo.

—Se ha de aburrir mucho —comentó observando a Gertrudis.

Ella alzó los hombros con indiferencia. ¿Qué más daba?

—¿Nunca ha pensado en irse?

—¿Adónde?

—A cualquier parte.

Gertrudis se inclinó hacia él y dijo en voz baja:

—No me gusta regresar.

El hombre hizo un gesto de asentimiento y pidió otra cerveza. Parecía estar meditando en algo. Por fin, propuso:

—¿Y si nos fuéramos juntos?

Gertrudis echó una mirada rápida a la calle.

—No trae usted más que un caballo.

—¿Sabe montar en ancas?

—En la caballeriza hay algunas bestias descansadas. Sería cuestión de que me ensillaran una.

El hombre asintió. Estando solucionado el problema no entendía por qué esta mujer se quedaba como de palo, sin moverse. Pero Gertrudis pensaba en los detalles.

—Tengo que juntar mi ropa.

—No es bueno ir muy cargado.

—Tiene usted razón.

Gertrudis le sirvió otra cerveza al hombre, antes de desaparecer en el interior de la casa.

Al tayacán le dijo que iba a bañarse al río, pero que estaba muy cansada para andar a pie. Cuando trajinaba en su cuarto, haciendo el equipaje, entró la Picha. A pesar de su inoportunidad fue bien recibida.

—¿Adónde vas?

—Al río.

—Llévame.

—Bueno.

Gertrudis había contestado automáticamente. ¿Qué opinaría el hombre? Después de todo si no estaba de acuerdo podía irse solo. Pero ¿y ella? Se apresuró a regresar a la tienda, con un envoltorio bajo el brazo y la Picha agarrada de sus faldas.

—¿Quién es la patoja?

—Mi hermanita. Está muy hallada conmigo. No la puedo dejar.

—¿Aguantará el trote?

—A saber.

—¿Cuánto se debe?

Gertrudis contó con celeridad los cascos de cerveza vacíos.

—Veinte pesos.

El hombre puso el dinero sobre el mostrador.

—No conviene que nos vean salir juntos. La espero en la Poza de las Iguanas.

Gertrudis asintió. Cuando quedaron solas la Picha y ella se puso a llenar un morral con latas de sardinas y de galletas y su portamonedas con el producto de las ventas del día.

El tayacán asomó la cabeza.

—Está lista su montura, niña.

—Quédate aquí, despachando mientras regreso.

Gertrudis montó a mujeriegas llevando bien abrazada a la Picha. Nadie las vio salir por la puerta del corral. Unos minutos después habían llegado al lugar de la cita. El hombre escogió el camino y ellas lo siguieron.

Iban de prisa, de prisa. Al anochecer llegaron a un caserío.

—Voy a buscar posada —dijo el hombre.

Gertrudis desmontó, con cuidado de no despertar a la Picha. ¿Dónde ponerla? Tenía los brazos adoloridos de su carga.

Había un clarito en el monte y la acostó allí.

—Ojalá que no se llene de garrapatas.

Libre del estorbo de la niña se aplicó a abrir una de

las latas. Tenía hambre. Estaba limpiándose el aceite que le escurrió por las manos, cuando el hombre regresó.

—Hay un lugar donde pasaremos la noche. Vamos.

La distancia era tan pequeña que podía caminarse a pie. Así lo hicieron, jalando los cabestros de las cabalgaduras. El hombre se acomidió a llevar a la Picha.

Los dueños de la casa habían salido al corredor con un mechero de petróleo y les indicaron el camino con frases amables. En la cocina les dieron una taza de café y luego los llevaron al cuarto.

Las dimensiones eran reducidas, el piso de tierra y por todo mobiliario un catre y una hamaca. Allí, amarrada para que no se cayera, colocaron a la Picha. En el catre se acostaron los dos.

Gertrudis no pensó en Oscar ni una sola vez. Ni siquiera pensaba en el desconocido que estaba poseyéndola y al que se abandonó sin resistencia y sin entusiasmo, sin sensualidad y sin remordimientos.

—¿No tienes miedo de que te haga yo un hijo?

Gertrudis negó con la cabeza. ¡Un hijo era algo tan remoto!

Casi al amanecer quedaron dormidos. Y los despertó el latir furioso de los perros, el escándalo de una cuadrilla de hombres a caballo, las alarmadas exclamaciones de los dueños de la casa.

El hombre se vistió inmediatamente. Estaba pálido.

Gertrudis creía estar soñando hasta que tuvo frente a sí a su padre, que la sacudía violentamente por los hombros.

—¡Desgraciada! ¡Tenías que salir con tu domingo siete! ¿Qué te hacía falta conmigo? ¿No me lo podías pedir?

Descargó un bofetón sobre la mejilla indefensa de Gertrudis. Ella ahogó el gemido para no despertar a la Picha.

Don Estanislao se había vuelto hacia la puerta para instar a sus acompañantes a que irrumpieran en la habitación.

—Aquí tienen al que buscaban —dijo señalando al hombre—. Yo lo conozco bien. Se lama Juan Bautista González.

El hombre inclinó la cabeza. Era inútil negar.

—A ver, licenciadito, no se me apendeje. Lea la lista de las acusaciones.

El aludido se adelantó a los del grupo, requirió unas gafas y carraspeó con insistencia antes de empezar a leer.

—...por atentado a las vías generales de comunicación.

Gertrudis quiso averiguar.

—¿Qué es eso?

—Que tu alhaja se entretuvo cortando los alambres del telégrafo.

—En efecto, señorita.

—Señorita —barbotó don Estanislao, exhibiendo una mancha de sangre sobre la sábana—. Cárguele esto también en la cuenta.

El licenciado iba a consultar un código del que no se desprendía, pero don Tanis se lo impidió.

—Déjese de cuentos y apunte.

El licenciado, trémulo y para no equivocarse, fue poniendo todas las palabras que se relacionaban con el caso.

—Rapto, estupro, violación. . .

—Y robo. No se olvide usted de añadir los doscientos pesos que me faltan en caja ni las conservas que desaparecieron.

—¿Cuál es el castigo? —quiso cerciorarse el hombre. No daba la impresión de estar preocupado. Debía de tener buenas palancas.

—Pues, según la ley. . .

—Usted me hace favor de callarse, licenciado. El castigo es que te pudrirás de por vida en la cárcel. Y que si con mañas logras salir de allí, yo te venadeo en la primera esquina.

—Enterado, gracias —dijo el hombre sin perder la compostura.

—La pena sería menor —sugirió tímidamente el licenciado — si el reo diera satisfacción de alguno de los daños. La devolución del dinero, por ejemplo.

Gertrudis tanteó debajo de su almohada y luego hizo entrega del portamonedas a su padre.

—Cuéntelo. Está cabal.

El éxito de su insinuación dio ánimos al licenciado.

—También podría resarcir la honra de la señorita, casándose con ella.

—¿Cuál señorita? —preguntó el hombre.

—Oigame usted, hijo de tal, no me va a venir ahora con que a mi hija no la encontró como Dios manda. ¡Aquí hay pruebas, pruebas!

Y don Tanis enarbolaba otra vez la sábana.

—No, no me refería a eso —prosiguió el hombre—. Es que antes de llegar a La Concordia levanté en el camino a otra muchacha.

La Picha despertó llorando. No reconocía el lugar. ¿Dónde estaba? ¿Por qué hacían tanto ruido? Gertrudis se tapó con el vestido y fue a consolarla.

El licenciado se rascó meditativamente la oreja.

—¿Recuerda usted el nombre de la perjudicada?

—No tuvimos tiempo de platicar. Usted comprende, como iba yo huido...

—Con quien tiene que casarse es con mi hija.

—¿Aunque la otra tenga prioridad? —dijo el licenciado, arrepintiéndose al ver la expresión de don Tanis.

—No me salga con critiqueces. Usted me los casa ahorita mismo. Gertrudis, ven acá.

Gertrudis obedeció. Estaba incómoda, porque el vestido con que se cubría se le resbalaba. Y además el peso de la Picha.

—Deja en alguna parte a esa indizuela. Y ponte el vestido, no seas descarada.

Cuando sus mandatos fueron cumplidos, don Tanis añadió.

—Ahora los novios se agarran de la mano ¿verdad, lic.?

—Sí, naturalmente, ¿Me permite usted buscar la epístola de Melchor Ocampo? Aquí, en el código.

—No, nada de requilorios. Los señores —dijo don Tanis, señalando a los vaqueros que se amontonaban en la puerta— son testigos de que usted declara a este par marido y mujer.

—Yo quisiera un anillo —suspiró Gertrudis.

Se hizo un silencio general. Todos se miraron entre sí. La dueña de la casa se limpiaba una lágrima con la punta del delantal.

Don Tanis le alargó el portamonedas.

—Tu dote.

—Gracias, papá.

Los novios se soltaron de las manos, que habían comenzado a sudar y ponerse pegajosas.

—¿No quieren una copita?

La dueña de la casa había traído una charola llena de vasos mediados de comiteco.

Ninguno rehusó. Hasta la Picha dio un trago, tuvo

una especie de ahogo y le golpearon la espalda.

—¡Vivan los novios!

Don Tanis llevó aparte a Gertrudis para darle su bendición.

—Siempre creí que contigo iba a empezar a desgranarse la mazorca. No de esta manera, pero qué se le va a hacer. ¿Sabes? —finalizó rozándole suavemente la nariz con la punta del fuete—. Hoy me recordaste a tu madre. Se parecen. Sí, se parecen mucho.

Gertrudis había oído historias sobre el matrimonio de sus padres, Don Tanis fue a pedir a la novia, por encargo de un amigo. Y mientras los mayores deliberaban, ellos hicieron su agua tibia y se fugaron. ¡Qué revuelo! ¡Qué amenazas! Pero fueron felices. ¿Por qué ella no iba a serlo?

—Bueno, señores. Ahora cada quien para su casa. Yo me llevo a la Picha. Ustedes ¿qué rumbo van a agarrar

El licenciado se asfixiaba.

—Vamos a la Cabecera del Municipio, don Tanis. Allí será procesado su. . . su yerno.

—Entonces tienen que apurarse. Está bien lejos.

—¿Entiende usted lo que quise decir, don Tanis? Su yerno va a ir a dar a la cárcel. Y su hija. . . ¿Tiene algún conocido en San Bartolomé, perdón, en Venustiano Carranza?

—No —repuso Gertrudis.

—Entonces su situación va a ser un poco difícil.

—La vida nos prueba, licenciado. Hay que tener temple, valor, dar la cara a las penas. Si Gertrudis no hubiera salido de mi poder yo la protegería, se lo juro. Pero ya está bajo mano de hombre. Los suegros entrometidos son una maldición.

Eso lo comprobó Gertrudis cuando fue a vivir a casa de los suyos. El viejo era un basilisco y la vieja una pólvora. Los dos no se ponían de acuerdo más que para renegar de la nuera y obligarla a que desquitara el hospedaje y la comida con su trabajo.

Mientras tanto Juan Bautista no había logrado salir de la cárcel. Su mujer lo visitaba los jueves y los domingos, llevándole siempre algún bocado, una revista, un cancionero. Y un cuerpo cuya docilidad había ido, poco a poco, transformándose en placer.

Las visitas apenas les daban tiempo para comentar los avances del proceso. No hablaban nunca de lo que harían cuando Juan Bautista estuviera libre.

Por eso la noticia los cogió desprevenidos. El primer día fue de fiesta, de celebración familiar. Cuando el matrimonio se instaló en la rutina, Juan Bautista comenzó a dar señales de inquietud.

—¿Qué te pasa? —preguntó, por cortesía, Gertrudis.

Juan Bautista fingió dudar un instante y luego decidirse bruscamente. Tomó las manos de su mujer y la miró a los ojos.

—Yo tenía una novia, Gertrudis. Desde que los dos éramos asinita. No me ha faltado. Me espera.

Gertrudis retiró las manos y bajó los ojos.

—Además nuestro matrimonio no es válido. No hay acta, no hay papeles. . .

—Pero mi papá se va a enojar. El puso los testigos.

—Para no ofenderlo vamos a divorciarnos. Por fortuna no te has cargado con hijos.

—¿Seré machorra? —se preguntó a sí misma Gertrudis.

—A Dios no le gustan las embelequerías de gentes como nosotros. Por eso no llegan las criaturas.

—¡Qué bueno! Porque es muy triste eso de ser machorra.

—Así que estás libre y yo te voy a ayudar en lo que se pueda. ¿Adónde quieres ir?

—No sé.

—¿A La Concordia? ¿A Comitán?

Gertrudis negaba. Nunca le había gustado regresar.

—A México.

—Pero criatura, cómo te la vas a averiguar sola, en tamaña ciudad.

—Tengo una amiga que vive allá. Me escribe seguido. Cartas muy largas. Voy a buscar la dirección.

Así fue como Gertrudis y yo volvimos a vernos. Mis padres escucharon su historia parpadeando de asombro. No, de ninguna manera iban a permitir que yo me contaminara con tan malos ejemplos. Ni pensar siquiera en que se quedaría a vivir con nosotros. Había que conseguirle trabajo y casa. Para eso se es cristiano. ¿Pero admitirla en la nuestra? No, por Dios que no. La caridad empieza por uno mismo.

En vano argumenté, lloré, supliqué. Mis padres fueron inflexibles.

Bien que mal, Gertrudis fue saliendo adelante. Nos veíamos a escondidas los domingos. Ahora yo me había vuelto un poco más silenciosa y ella más comunicativa. Nuestra conversación era agradable, equilibrada. Estábamos contentas, como si no supiéramos que pertenecíamos a especies diferentes.

Un domingo encontré a Gertrudis vestida de negro y deshecha en llanto.

—¿Qué te pasa?

—Mataron a Juan Bautista. Mira, aquí lo dice el telegrama.

Yo sonreí, aliviada.

—Me asustaste. Creí que te había sucedido algo grave.

Gertrudis me miró interrogativamente.

—¿No es grave quedarse viuda?

—Pero tú no eres viuda. Ni siquiera te casaste.

Abatió la cabeza con resignación.

—Eso mismo decía él. Pero ¿sabes? vivimos, igual

que si nos hubiéramos casado. A veces era cariñoso conmigo. ¡Necesitaría yo no tener corazón para no llorarlo!

Decidí llevarle la corriente. Cuando se hubo calmado empecé a preguntar detalles.

—¿Y cómo lo mataron?

—De un tiro por la espalda.

—¡Válgame!

—Es que lo iban persiguiendo.

—¿Qué hizo?

—Otra vez la misma cosa. Cortar los alambres. No sé de dónde le salió esa maña.

—De veras. Es raro.

Hicimos una pausa. Yo acabé por romperla.

—¿Se casó, por fin?

—Sí, con su novia de siempre.

Gertrudis lo dijo con una especie de orgullo por la fidelidad y constancia de ambos.

—Entonces a ella le toca el luto. No a ti.

Su expresión fue al principio de hurañía y desconfianza. Luego de conformidad.

—Quítate esos trapos negros y vamos al cine.

La oí canturrear desde el baño, mientras se cambiaba.

—¿Hay algún programa bonito?

—Para pasar el rato. Apúrate.

—Ya estoy lista.

Gertrudis me ofreció un rostro del que se habían borrado los recuerdos; unos ojos limpios, que no sabían ver hacia atrás. Toda ella no era más que la expectativa gozosa de una diversión cuyo título le era aún ignorado.

En la penumbra del cine, junto al rumiar goloso de Gertrudis (que se proveía generosamente de palomitas y muéganos), yo me sentí de pronto, muy triste. Si la casualidad no nos hubiera juntado otra vez, Gertrudis ¿se acordaría siquiera de mi nombre? ¡Qué pretensión más absurda! Y yo que estaba construyendo mi vida alrededor de la memoria humana y de la eternidad de las palabras.

—Espérame un momento. No tardo.

No supe nunca si Gertrudis escuchó esta última frase porque no volvimos a vernos.

Al llegar a la casa tomé mi cuaderno de apuntes y lo abrí. Estuve mucho tiempo absorta ante la página en blanco. Quise escribir y no pude. ¿Para qué? ¡Es tan difícil! Tal vez, me repetía yo con la cabeza entre las manos, tal vez sea más sencillo vivir.

VALS "CAPRICHO"

Despierto de pronto en la noche
pensando en el Extremo Sur.

PABLO NERUDA

La palabra señorita es un título honroso... hasta cierta edad. Más tarde empieza a pronunciarse con titubeos dubitativos o burlones y a ser escuchada con una oculta y doliente humillación.

Peor todavía cuando se tiene el oído sensible como en el caso de Natalia Trujillo. Tan sensible que sus padres la consagraron al aprendizaje de la música, medida nunca lo suficientemente alabada. Porque en su juventud Natalia era la alegría de las reuniones, la culminación de las veladas artísticas, el pasmo de sus coterráneos. Por toda la Zona Fría andaba la fama de su virtuosismo para ejecutar los pasajes más arduos en que los compositores volcaron su inspiración. Y esta proeza era más admirable si se consideraba la pequeñez de unas manos que abarcaban, apenas, una octava del teclado.

Era un privilegio —y una delicia— ver a Natalia acercarse al piano, abrirlo con reverencia, como si fuera la tapa de un ataúd; retirar, con ademán seguro, el fieltro que protegía el marfil; toser delicadamente, asegurarse el moño, probar los pedales, despojarse con primor de las sortijas y adoptar una expresión soñadora y ausente. Tal especie de rito era el preludio con que se lanzaba al ataque de la pieza suprema de su repertorio: el vals "Capricho" de Ricardo Castro.

La civilización, que todo lo destruye, minó aquel prestigio que parecía inconmovible. Primero llegaron a Comitán las pianolas que hasta un niño podía hacer funcionar. Después hubo una epidemia de gramófonos que prescindían hasta de los ejecutantes.

La estrella de Natalia se opacó. Su madurez vino a encontrarla inerme y su decadencia la hizo despeñarse hasta las lecciones particulares.

Sus alumnas eran hijas de las buenas familias, empobrecidas por la Revolución y arruinadas definitivamente por el agrarismo. Como no estaban ya en posibilidades de adquirir ningún aparato moderno, se apegaron con fanatismo a unas tradiciones que, bien contadas, se reducían a los rudimentos del solfeo, la letra redonda, uniforme y sin ortografía y el bordado minucioso de iniciales sobre pañuelos de lino.

La señorita Trujillo hacía hincapié en lo módico de las cuotas que cobraba su academia. A pesar de ello los parientes de las discípulas regateaban con intransigencia, pagaban con retraso o se endeudaban sin pena.

Lo exiguo de sus ganancias proporcionaba una doble satisfacción a Natalia: mantenerse en la creencia de que no trabajaba, sino de que se distraía para calmar sus nervios y, por otra parte, ayudar al sostenimiento decoroso de una casa que no compartía más que con otra hermana soltera, Julia, quien si hubiese sido mayor no lo habría admitido nunca y si menor no lo habría proclamado jamás.

Julia se dedicaba a un menester igualmente noble que la música: la costura. Este don innato también fue advertido por la clarividencia de unos padres demasiado solícitos que supieron darle cauce y plenitud.

Julia tuvo su hora de triunfo. Durante años impuso la moda en Comitán y los empleados de Correos violaban la correspondencia para satisfacer una delictuosa curiosidad: ¿de dónde provenían los frecuentes envíos consignados a Julia y qué encerraban los paquetes tan cuidadosamente hechos? La divulgación de sus hallazgos aumentó la clientela de la modista: eran figurines de los almacenes más renombrados de Guatemala, de México y aun de París.

Como es natural, Julia tenía la sindéresis necesaria para adaptar los atrevimientos de las grandes urbes a la decencia provinciana. Y si allá se diseñaba un escote audaz aquí se velaba con un olán gracioso. Las faldas no delataron nunca la redondez de las caderas ni exhibieron las imperfecciones de la rodilla. Y en su ruedo pesaban minúsculos trozos de plomo, ya que en Comitán sopla un aire impertinente cuyas indiscreciones hay que contrarrestar.

El varón de la familia Trujillo, lejos de ser el báculo de la vejez de sus progenitores, el respeto de sus hermanas, el sostén del hogar, era una preocupación, una vergüenza y una carga. Enclenque y sin disposiciones especiales para ningún oficio fue recomendado con el patrón de unas monterías, después de asegurar su vida en una suma ¡ay! consoladora. Todos confiaban en que Dios hiciera su voluntad al través de los rigores del clima y la rudeza del trabajo.

Pero los caminos de la Providencia son imprevisibles. El desenlace lógico no se produjo. Al contrario: Germán, fortalecido por las adversidades y próspero gracias a su tenacidad, acabó convirtiéndose en el héroe de los coloquios íntimos de sus parientes. Se recordaba con ternura la historia de su infancia; el desparpajo con que respondía mal a las preguntas de los sinodales en los exámenes públicos; su ingenio de monaguillo para organizar travesuras a la hora de la misa. Después se evocaba la austeridad de su adolescencia y la adustez premonitoria de su carácter. Hasta que se llegaba a la apoteosis actual en que lo único sobre lo que se guardaba silencio era sobre su estado civil. Los ángeles, sentenciaba su madre, no tienen pasaporte. Lo cual significaba que Germán se había amancebado con alguna mestiza tiñosa, palúdica o quién sabe si algo peor, en su destierro.

A Natalia y a Julia las unió su desamparo mutuo y

los infortunios que tuvieron que sobrellevar. Primero la orfandad; luego la pobreza vergonzante. Germán rescató las hipotecas de la casa y les permitía habitarla mientras decidía la hora de su regreso a Comitán. Pero las dos hermanas no dejaron de sentirse dueñas de ese lugar en que estaban los retratos de sus antepasados y las sombras de épocas felices. En el traspatio se veía aún el fondo del aljibe seco en que se refugiaron del vandalismo de los carrancistas; en el balcón de las serenatas se conservaba el hierro torcido por la violencia de un duelo entre rivales; en la sala continuaba, de cuerpo presente, el piano de cola; el ajuar de bejuco, objeto ya más de contemplación que de uso; las rinconeras de ébano, que sabían disimular su deterioro; los tarjeteros de mimbre que ostentaban imágenes borrosas pero inolvidables.

Era verdad que sus ingresos no bastaban nunca para tapar las goteras que cundían en los tejados ni para arrancar las malas hierbas que medraban en el jardín ni para abastecer la despensa. Pero Natalia y Julia permanecían en sus antiguos dominios y no abandonaban el pueblo, mientras que otras familias de mayor abolengo, pretensiones o fortuna que la suya, habían emigrado a tierras donde no serían nadie, donde se desvanecerían como fantasmas.

Las hermanas Trujillo alcanzaron esa edad en que las tentaciones pasan de largo y el destino ha cerrado ya todas sus trampas, menos la última. Su existencia transcurría apacible, monótona y privada, entre arpegios inhábiles, retazos varios y costumbres sólidas: las visitas de amistad y cumplido, la asistencia a los acontecimientos luctuosos, la adhesión a congregaciones serias. Por lo demás, la maledicencia no hallaba pábulo para cebarse en aquella discreción ni el ridículo tenía motivos para fustigar tal insignificancia. Si la salud de las señoritas Trujillo adolecía de algún quebranto, ellas no alentaban aspiraciones de longevidad, pues las trocaron por la promesa de una bienaventuranza eterna.

Pero ¿quién puede llamarse dichoso mientras vive? Natalia y Julia vieron entrar la desgracia por la puerta y no la reconocieron. ¡Ostentaba un aspecto de juventud tan floreciente, una sonrisa tan tímida, un rubor tan espontáneo! Se llamaba Reinerie, era su sobrina y Germán se la había encomendado para que la educaran y pulieran en el roce social. Les entregó una criatura de buena índole pero en estado salvaje. Exigía que le devolvieran una dama y para lograr su propósito no iba a escatimar ningún medio.

Natalia y Julia no dispusieron ni de un instante para dedicarlo a la perplejidad. En la primera comida hubo que informar a su huésped (con tacto, eso sí, porque contaría todo a su padre) de cuál era la utilidad de los cubiertos, así como de lo indispensable que resulta, en algunos casos, la servilleta.

Las primeras manifestaciones de la presencia de Reinerie en casa de las Trujillo fueron catastróficas. Era despótica y arbitraria con la servidumbre, ruda con las cosas, estrepitosamente efusiva con sus tías. Rasguñaba las paredes para comerse la cal, removía los arriates para molestar a las lombrices, tomaba jugo de limón sin miedo a que se le cortara la sangre y se bañaba hasta en los días críticos.

El asombro de Natalia y Julia las mantuvo, durante semanas, paralizadas y mudas. ¿Qué clase de bestezuela era ésta que expresaba su satisfacción con ronroneos, su cólera con alaridos y su impaciencia con pataletas?

Una vez disminuido el estupor inicial las dos hermanas se reunieron en conciliábulo.

Para su deliberación se encerraron en el único sitio de la casa al que nadie acudía sino forzado: el oratorio. Allí, irreverentemente acomodadas en los reclinatorios, dieron principio a una plática reticente, a cuyo núcleo no se atrevieron a llegar sino después de largos circunloquios.

—Reinerie... qué nombre tan chistoso. ¿No te parece?

—Yo conocí un Rosemberg; de cariño le decían Chember. También era de tierra caliente.

—Son muy raros por esos rumbos. ¿Y tú crees que Reinerie esté en el santoral?

—Si es apelativo de cristiano, sí.

—Habrá que preguntarle al Coadjutor.

—Y aprovechar para que la bautice.

—¿Y si ya la bautizaron?

—En las monterías no hay iglesia.

—¡Sería un escándalo! ¿Te imaginas a Germán Trujillo dejando que su hija se críe como el zacate?

—Pero a esa criatura le falta un sacramento, tal vez hasta un exorcismo. Si parece que estuviera compatiada con el diablo.

—Malas mañas que le enseñó su madre.

—No hagas juicios temerarios. A esa pobre mujer ni siquiera la conocemos.

—Basta el botoncito de muestra que nos mandaron.

—Es nuestra cruz. ¡Y le debemos tantos favores a Germán!

—Se los vamos a corresponder con creces, no te apures.

—Si Dios nos presta vida. Porque con estos achaques... Anoche no pude pegar los ojos.

—Yo tampoco. No me dejaste dormir con tus ronquidos.

Natalia bajó los ojos, avergonzada. Después de la escaramuza que servía de introducción a los grandes temas, Julia fue al grano.

—Te decía que Reinerie...

—No la llames así. Todo el mundo se burla de nosotros. Mejor dile Claudia.

—Prefiero Gladys.

—¡Has estado leyendo novelas otra vez!

—Tengo tiempo de sobra. Esta criatura se exhibe en unas fachas que me está espantando la clientela.

—¿Por qué no le cortas unos vestidos bonitos?

—Los echa a perder en cuanto se los pone. Si por ella fuera andaría desnuda. Tú tampoco has logrado que se acostumbre a los zapatos.

—Le sacan ampollas.

—Es que son finos. Hay que empezar por el principio. Lo que necesita son chanclas de tenis.

—¿Con qué cara me presento yo en la zapatería para comprar eso?

—Dí que es por tus juanetes, chatita.

—Los he soportado mi vida entera sin quejarme, nena. A estas alturas no voy a dar mi brazo a torcer.

—¿Y si dijéramos que es para una criada?

—¿Calzar a una criada? ¿Dónde se ha visto? ¡Nadie volvería a hablarnos!

Las dos hermanas quedaron pensativas. Por la cabeza, fértil en recursos, de Natalia, cruzó al fin una iluminación.

—¡Sandalias de cuero!

Julia torció el gesto.

—No están de moda.

Era su argumento supremo; pero esta vez no resultó eficaz. Tuvo que ceder, aunque impuso una condición: que ninguna de las señoritas Trujillo intervendría directamente en el asunto. Recurrieron al Coadjutor quien, bajo sigilo sacerdotal, encargó un par de las que Reinerie se despojaba con el menor pretexto.

Cuando sus tías le llamaban la atención se fingía sorda, porque ni Gladys ni Claudia eran sus nombres. Las hermanas se quejaban amargamente de semejante tozudez.

—Tarea de romanos, hijas mías —suspiraba el Coadjutor, contemplando con ceño desaprobatorio el raído tapete sobre el piano. Cuando promovieran su ascenso (y los trámites ya no se podían prolongar) renunciaría sin escrúpulos a la amistad de solteronas arruinadas para sustituirla por el trato con los señores pudientes.

—Una prueba que el Señor nos ha mandado —admitía con docilidad Julia.

—Pero yo no pierdo los ánimos —terció Natalia con la sonrisa del que prepara una sorpresa agradable—. Hoy ya no escupió en el suelo.

—¿Y dónde escupió? —quiso saber distraídamente el Coadjutor. Estaba considerando si Germán Trujillo llegaría a ser un señor pudiente.

—En un pocillo.

Las mejillas de Natalia estaban arreboladas. Pero quiso llevar su defensa hasta el fin.

—Las salivaderas tienen un aspecto tan... tan... Es fácil confundirlas con cualquier otro traste.

El Coadjutor se revistió de paciencia. Germán prosperaba en las monterías.

—He escuchado rumores de que la muchacha es arisca con los hombres. No se lo repruebo; ninguna precaución es suficiente. Pero ella traspasa los límites, no sólo del pudor, sino de la cortesía. Ofende a quienes se le acercan con ánimo inocente. El otro día, en la calle...

¿Qué creía Germán? ¿Qué con su dinero, tal vez mal habido, podría rendirnos a todos? A los comitecos lo que les sobra es orgullo.

—¿Qué va a buscar una señorita decente en la calle?

Julia se adelantaba a las condenaciones que temía. El Coadjutor esbozó un gesto ambiguo.

—Y en el barrio de la Pila, exponiéndose a que le faltara al respeto cualquier burrero.

—¡San Caralampio bendito!

—Pues allí, fingiendo negocios, tenemos a la sobrina de ustedes, Reinerie...

—Gladys, señor.

—Claudia, su reverencia.

—María, de acuerdo con las costumbres de nuestra Santa Madre.

Las hermanas Trujillo cambiaron entre sí una mirada de contrariedad. Había que seguirle el humor a este anciano. ¿De qué hablaba ahora?

—Ustedes saben cómo se ponen aquellos rumbos cuando se entablan las aguas. Lodo, estiércol... María no es melindrosa ¿verdad?

No, no era. Tenían que inculcarle los melindres.

—...estaba en el trance de atravesar un charco. Sostenía las sandalias y las medias con una mano y con la otra, se alzaba la falda.

La imagen era inconcebible. Julia y Natalia la rechazaron cerrando fuertemente los ojos.

—Acertó entonces a pasar por allí Manolo Almaraz.

—Su familia es pileña ¿no es ciertc, señor?

—Su origen es humilde, pero sus costumbres son intachables. Yo pondría la mano en el fuego por él. Lo conozco. Es mi hijo de confesión.

—Claro, claro —aceptó conciliadora Natalia.

—Por galantería le ofreció el brazo a la sobrina de ustedes al mismo tiempo que, con esa delicadeza tan suya, le dijo: "¿Me permite que la ayude?"

—¿Pretendía que Gladys dejara que la tocase?

Natalia miró compasivamente al sacerdote. No cabía duda de que desvariaba. Una cabeza no muy firme puede extraviarse a pesar de la tonsura. Era una ley rigurosa que en Comitán el hombre y la mujer no tuvieran ningún contacto sino dentro del matrimonio.

—Se trataba de una emergencia —aclaró el Coadjutor, malhumorado—. En el ofrecimiento de Manolo no había rastro ni de malicia ni de abuso. Yo salgo fiador de sus intenciones.

—¿Y Claudia aceptó?

—María, no se sabe cómo desenfundó una pistola y, apuntando con ella al corazón de Manolo le dijo: "si se atreve a acercarse, aténgase a las consecuencias". No es difícil adivinar cuáles serían.

Se hizo un silencio de consternación. El Coadjutor pensaba en la urbanidad lesionada, Julia en la clientela perdida, Natalia en la virtud incólume.

—Aconséjenos usted, Padre. ¿Qué hacemos?

—Mano de hierro con guante de seda. ¿Comprenden?

Las señoritas Trujillo asintieron de una manera automática. No habían comprendido. De allí en adelante sus insomnios fueron verdaderos.

De sus consultas con la almohada, las tías concluyeron que Reinerie-Gladys-Claudia-María lo que necesitaban era tener trato con muchachas de su edad. No iba a ser difícil. Bastaba con que Natalia se ausentara oportunamente durante las lecciones de piano.

Las alumnas, ignorantes de lo que se fraguaba, inventaban las excusas más improbables para abandonar el salón de clase y husmear por la casa en busca de esa especie de guacamaya lacandona que se desvivían por conocer.

El conocimiento no satisfizo su curiosidad, sino la excitó más aún. Las conversaciones entre las jóvenes comitecas y la recién venida de la montería eran tan difíciles y sin sentido como las de los manuales de idiomas extranjeros. Las comitecas usaban una especie de clave, accesible únicamente al grupo de las iniciadas. Reinerie —que por orgullo fingía enterarse— daba unas contestaciones ambiguas que las otras interpretaban como un lenguaje superior.

Porque Reinerie poseía unos secretos que colocaban a las comitecas en un nivel de subordinación. Estos secretos se referían a la vida sexual de los animales y también ¿por qué no? de las personas. Reinerie describía con vivacidad y abundancia de detalles, el cortejo de los pájaros, el apareamiento de los cuadrúpedos, el cruzamientos de las razas, el parto de las bestias de labor, las violaciones de las núbiles, la iniciación de los adolescentes y las tentativas de seducción de los viejos.

Las comitecas volvían a su casa turbadas, despreciando a sus padres, ansiosas de casarse, sucias por dentro. Algo dejaron traslucir porque sus mayores les prohibieron que continuaran frecuentando a esa "india revestida". La señorita Natalia extendió — sin una arruga— el fieltro verde sobre las teclas de marfil y echó llave al piano.

La fama de la corrupción de Reinerie llegó hasta las tertulias de los hombres para provocarles un movimiento de repugnancia. En sus relaciones con las mujeres contaban, como con un ingrediente indispensable, con su ignorancia de la vida. De ellos dependía prolongarla o destruirla. En el primer caso tenían segura la sumisión. En el segundo, la gratitud.

En un plano de igualdad no sabían como desenvolverse. Con la hija de Germán Trujillo tampoco era posible alardear de destreza en los oficios masculinos. Si la ocasión se presentaba Reinerie era capaz de cinchar una mula, de atravesar a nado un río y de lazar un becerro.

Y para colmo la muchacha era tímida. Cuando un varón (algún recadero ¿quién más iba a atreverse o a dignarse?) le dirigía la palabra, su rostro tomaba el color morado de la asfixia, comenzaba a balbucir incoherencias y se echaba a correr y a llorar.

¿Quién iba a conmoverse con estos bruscos pudores? La esquivez de Reinerie fue calificada como grosería y desprecio. En represalia le concedían el saludo más distante y la amabilidad menos convincente.

Reinerie tardó en darse cuenta de que a su alrededor se había hecho el vacío. Vagaba distraídamente por los corredores; se quedaba parada, de pronto, en el centro de las habitaciones; se golpeaba la frente contra los árboles del traspatio. Y no comprendía. Hasta que una vez cayó presa de un dolorosa convulsión.

Julia acudió santiguándose y temiendo la deshonra; Natalia llorando y compartiendo el sufrimiento.

Reinerie volvió en sí. En vano la asediaron sus tías

con infusiones de azahar y unturas de linimentos. ¿Qué nombre dar a aquella pena?

Las hermanas Trujillo recurrieron entonces a medidas extraordinarias; Julia encargó el último figurín a Estados Unidos, sede actual de la moda. Natalia escribió a Germán rogándole que legalizara su situación con la madre de su hija; después de todo, argumentaba, no puede exigirse a la sociedad que acepte a una bastarda.

El correo fue puntual. Los modelos neoyorkinos resultaron tan simples que la modista se sintió defraudada. Natalia tuvo ante sí un certificado de matrimonio bastante verosímil.

Reinerie (que había escogido llamarse Alicia) se aplicaba simultáneamente a su perfeccionamiento. Hacendosa, ensayó las recetas culinarias más exquisitas; deshiló manteles; marcó sábanas. Distinguida, pirograbó maderas y pintó acuarelas. Desenvuelta, aplicaba con oportunidad las fórmulas de la conversación. Tal suma de habilidades no le valió para granjearse ni una amiga ni un pretendiente.

—¿Y la dote? —vociferaba Germán desde la montería—. Digan que Reinerie va a heredar los aserraderos, las tropas de enganchados, las concesiones del Gobierno.

¿Pero a quién iban a decirlo las hermanas Trujillo si cada vez tenían menos interlocutores?

Saladura, sentenciaban las criadas desde sus dominios. Deberían de llevar a la niña para que le hicieran una limpia los brujos.

Desde su nivel eclesiástico al Coadjutor estaba de acuerdo. Urgentemente apremió a Natalia y a Julia para que su sobrina se aproximara a la Sagrada Mesa.

La primera comunión de Reinerie fue una ceremonia lucida a la que Germán no pudo asistir, pero cuyos dispendios alentó sin reparo.

La protagonista semejaba una quinceañera en la celebración, tardía, de su aniversario; o una desposada ya no tan precoz.

Reinerie no atendió al emocionado fervorín que improvisaba el oficiante. Cubierta de una profusión de brocados, listones, encajes, tules, divagaba siguiendo las figuras trémulas de los cirios ardiendo y el humo de los incensarios. Contaba la variedad de las flores; examinaba el color de la alfombra; quería descifrar los murmullos de la concurrencia.

¿Qué significado tenían las frases que el oficiante le dirigía: "Carne y sangre de Cristo"; "oveja descarriada, por cuyo rescate el Pastor abandona su rebaño"; "hija pródiga"? Reinerie se abría, no a las verdades del cristianismo, sino a la revelación de su propia opulencia y su gran importancia. Joven, hermosa, rica. ¿Qué más podía pedir? Sólo que su madre muriera.

El cumplimiento del rito la hizo creer que había ingresado en la sociedad de Comitán. Comenzó a prepararse para desempeñar airosamente su papel.

Se peinaba y se despeinaba ante el espejo; trazaba y borraba el arco de sus cejas, la curva de sus labios. Hasta que se compuso una figura que los demás tendrían que admirar.

En el taller de Julia se desparramaban cortes de charmeuse, destinados a los trajes de baile; flat para los vestidos de paseo; piqué para las batas de entrecasa. Y crespón para las ocasiones solemnes.

Pero ni estas ocasiones ni otras se presentaban. En los armarios ya no cabía más ropa, ni en los burós zapatos ni en el tocador afeites.

Compuesta, Reinerie salía a exhibirse al balcón. Tras las vidrieras de una ventana próxima, sus tías acechaban el paso de los transeúntes, el testimonio de su admiración. Pero los que pasaban, muy pocos, se descubrían precipitadamente si eran hombres; miraban sin ver, si eran mujeres.

En las tertulias Reinerie y sus costumbres, o sus actos más nimios, eran tema de burla. Alguno la apodó "La tarjeta postal" y ya nadie volvió a aludirla de otro modo.

Cuando alguien (que no estaba en antecedentes, por supuesto, o que estándolo quería alardear de caritativo o de independiente en sus opiniones) pretendía reivindicar una de las cualidades de Reinerie, se le tildaba de hipócrita, de inoportuno, de aguafiestas o de cazador de dotes. Y se aprovechaba la contradicción para encontrar nuevos motivos de mofa.

Si se examinaba su belleza era para hacer resaltar su falta de apego a los cánones. Ni pelo ondulado, ni ojos grandes, ni piel blanca, ni boca diminuta, ni nariz recta. La suma de leves defectos y asimetrías no resultaba atractiva para los hombres ni envidiable para las mujeres.

La esbeltez carecía de importancia, puesto que ellas la sacrificaban a la gula. Se reían de la agilidad desde la molicie y si se ponderaba la salud se les acentuaba la interesante palidez.

La palomilla más renombrada se trazó una conducta estratégica: cedía a Reinerie el centro de la acera, el lugar de preferencia en el templo, en el cine, en los paseos. Pero nadie la acompañaba ni a misa mayor los domingos, ni a la función vespertina los sábados, ni a la serenata los jueves, ni a la carreras de caballos de Yaxchibol en octubre, ni a las temporadas de baños de Uninajab en abril, ni a las ferias de enero ni a los bailes todo el año.

Reinerie se declaró vencida ante el boicot. Incapaz de resistir la humillación del aislamiento, dejó de asistir a los sitios públicos. Aun en su casa fue abandonando los hábitos que tanto esfuerzo le había costado adquirir y volvió a su estado primitivo. Vagaba despeinada, sin zapatos, envuelta en una bata de yerbiya. Comía de pie, en cualquier parte, tomando los alimentos con los dedos y arrojando los desperdicios a su alrededor. Para huir de las reconvenciones de sus tías acabó por encerrarse en su cuarto.

Allí no era posible entrar. La atmósfera era irrespirable. Una gallina negra cumplía una misteriosa función en su nido, hecho debajo de la cama. Por todas partes se apilaba la ropa sucia y las colillas de unos cigarros de arriero que la muchacha fumaba sin cesar.

Cuando las criadas aprovechaban la momentánea ausencia de Reinerie para barrer la basura o retirar la ropa, tenían que sufrir una reprimenda. ¿Para qué se lo desordenaban todo? Ella quería vivir así y tenía el dinero suficiente para pagarse sus gustos.

Natalia quiso atraer a su sobrina hacia la lectura y le prestó los libros que habían consolado su soledad, distraído sus ocios, edificado sus penas.

Reinerie deletreaba sin fluidez. Y la recompensa de sus afanes era una insípida historia de misioneros heroicos en tierras bárbaras, de monjas suspirantes por el cielo y de casadas a la deriva en el mar proceloso que es el mundo.

Reinerie arrojaba el volumen lejos de sí, furiosa. ¿Por qué nadie habla nunca de amores compartidos, de matrimonios felices? Era necesario que existieran. Lo que leía no se diferenciaba de lo que vivía y por lo tanto le era imposible creer en ello. Más amargada aún que antes, volvió a caer en la inercia y el descuido.

Germán, al tanto de los acontecimientos, ordenó que se renovara el mobiliario de la casa. En el dormitorio de su hija se materializaron los delirios del hombre confinado en la selva y de las mujeres aisladas en la soltería. Allí se ostentaba un lujo y una voluptuosidad reducidos al absurdo por imaginaciones rudimentarias y mal nutridas: divanes de terciopelo, figuras mitológicas de alabastro, mesitas con incrustaciones de maderas preciosas sobre las que se abrían álbumes con leyendas alusivas a la fuerza de las pasiones, a la eternidad de los sentimientos y a la inexorabilidad del destino.

Reinerie se entretenía comiendo golosinas y jugando solitarios. Una tarde, en la que el hastío era más enervante que de costumbre, recordó los conjuros que recitaba su madre para la adivinación del porvenir. La penumbra se llenó de visiones casi tangibles. Espantada, Reinerie se cubrió la cara con las manos y gritó antes de perder el conocimiento.

Al volver en sí (sostenida por almohadones, sitiada por el olor acre de las sales) percibió unos murmullos rápidos, de angustia, de discusión.

—Hay que llamar al médico.

—¿Y si le encuentra algo raro?

—Es preferible que nos lo diga ahora.

—Sería un escándalo. ¿Quién va a querer cargar con ella... así?

—¿Entonces?

—Hay que esperar. Si se agrava la llevaremos a México.

Natalia y Julia redoblaron sus mimos para la convaleciente. ¿No es verdad que la música sosiega los ánimos? ¿No es cierto que el cambio de apariencia renueva las ilusiones? La modista cosía y la pianista tocaba. Gladys, Claudia, las contemplaba a las dos con una chispa de desconfianza en los ojos marchitos.

Un día invadieron su habitación en medio de grandes aspavientos. Del interior de una caja redonda extrajeron la sorpresa: un sombrero de mujer.

Era de paja sin teñir y lo rodeaba una nube informe y desvaída. Sí, el velo que protege la faz de la ingenua, el que cubre el rostro de la adúltera y atenúa los estragos del tiempo sobre la cara de la que envejece.

Para usar aquella prenda se necesitaba audacia, inconsciencia o una suprema seguridad en la propia elegancia. Entre sobrina y tías juntaron los tres requisitos y el sombrero se estrenó. Era un desafío. Y Comitán respondió a él con una indiferencia y un silencio absolutos. Se había decidido que el sombrero no existía.

Con desconcierto las Trujillo se batieron en retirada. Encerrarse equivalía a admitir la derrota. Inventaron un paseo nuevo: el campo de aviación.

Cuando el viento era favorable, las tías y la sobrina tenían la suerte de ver llegar y partir un aparato minúsculo que transportaba el correo.

Durante horas enteras permanecían las tres figuras en aquel páramo ventoso. Mudas, porque todo sonido era inaudible en la extensión batida sin cesar por corrientes contrarias; de pie, porque no había ni una piedra ni un tronco donde sentarse; la más joven coronada por un sombrero.

Imprevisible como los milagros, aparecía el avión rasgando el horizonte. ¡Se veía tan frágil, tan a merced de los elementos! Y sin embargo planeaba con gracia y tocaba la tierra con precisión y suavidad.

De la cabina salía el piloto dispuesto a aceptar la admiración de la concurrencia, orgulloso de sus hazañas y sin embargo humilde, como aquellos que deben más a la pericia y a la suerte que al aprendizaje. Con gallarda desenvoltura se aproximaba al grupo únicamente para ver de cerca tres estatuas de sal, con la espalda vuelta a la ciudad que las había expulsado y los ojos ciegos para lo que tenían delante. Les humillaba la soledad y no querían romperla gracias a un advenedizo cuyo linaje ignoraban y cuyo oficio —por el mero hecho de significar dependencia y escasez de dinero e imposibilidad de ocio— despreciaban.

A las tímidas, o audaces, tentativas de acercamiento, Reinerie y sus tías respondieron con desdén. Y lo que pudo ser amistad, principio de entendimiento, simpatía, coqueteo y aún amor, se pudrió. Aquellas tres figuras extravagantes se convirtieron pronto en tema de comentarios despiadados y de burlas certeras.

Reinerie y sus tías no dejaron de percibir que la atmósfera que las rodeaba era hostil. De un modo tácito dejaron de asistir a su único paseo hasta volver a encerrarse completamente en su casa.

Enterado de las noticias Germán llegó al pueblo. Quiso reanudar antiguos vínculos y halló una resistencia irónica. Nadie quiso saber el monto de su capital ni los medios de que se había valido para obtenerlo. Es más, nadie parecía haberse dado cuenta de que se hubiera ausentado durante tantos años. Con lo cual, su regreso carecía en lo absoluto de importancia.

Exacerbado, Germán hizo ostentación de su riqueza y de su esplendidez y alquiló el Casino Fronterizo para festejar un hipotético cumpleaños de su hija.

Los preparativos fueron estrepitosos y las invitaciones muchas. Se adornaron las salas con guirnaldas de orquídeas y los pisos con juncia; se alinearon las marimbas; se dispusieron las mesas bien abastecidas. Bajo el candil de cien luces Germán Trujillo, asfixiado por el traje de etiqueta, daba el brazo a su heredera y ofrecía el flanco libre a sus hermanas.

La sonrisa de bienvenida de los anfitriones fue congelándose paulatinamente en sus labios. Transcurrían las horas; bostezaban los marimbistas; sonreían con disimulo los meseros. A las dos de la mañana tuvo que aceptarse la evidencia: ninguno había honrado la recepción asistiendo a ella.

Furioso, Germán sacudía a Reinerie por los hombros como si quisiera arrancarle un gemido, una protesta, una maldición. La muchacha permanecía impávida como los maniquíes del taller de su tía Julia.

—Dime qué quieres y te lo doy ahora mismo. ¡Puedo aplastarlos a todos, hacer que se arrastren ante ti! Soy rico, más rico que todos ellos juntos. Si les compro las fincas, las fábricas, no habrá quien no sea mi deudor.

Los términos mercantiles no conmovían a Reinerie.

—Gladys ¿no quisieras ir a México? ¡Podrías comprar colecciones enteras de ropa!

—Escuchar conciertos, música. Música de verdad, como en el cielo. ¡Vámonos, Claudia, vámonos!

Alicia contempló a los tres con reproche, como para volverlos a la razón. ¿Por qué exhibir así su fracaso ante la servidumbre que se regocijaba con él? De pronto se le había despertado un fulminante sentido de su jerarquía. Cubriéndose delicadamente la boca con la mano, como para ocultar un bostezo, hizo notar a los otros (con una compostura incongruente) que era hora de dormir.

Durmió sin sobresaltos y despertó tranquila. Germán

aplazaba su vuelta a las monterías en espera de un estallido que no llegó a producirse. Al contrario. El carácter de su hija se había dulcificado hasta la morbosidad. Hizo donativos de las pertenencias que tenía en mayor estima al Hospital Civil y al Niñado. Se enfundó en una especie de hábito oscuro y rogó al Coadjutor que le sirviese de guía espiritual. Germán Trujillo se fue con el corazón deshecho.

El Coadjutor escuchó aquel llamamiento a su deber con una alarma inútil. No le era lícito rechazarlo pero admitirlo le acarrearía consecuencias que era incapaz de calcular, pero que, desde luego, podía prever como desagradables.

Devota, Reinerie ingresó en las congregaciones piadosas; era celadora del Santísimo, Dama de la Virgen, Tercera de la Orden Franciscana, pilar en fin, de la Iglesia.

Pero no por ello ganó afectos. Como actos de caridad sus compañeras la saludaban con una inclinación de cabeza, un guiño casi imperceptible, una sonrisa breve. Los grupos que murmuraban alrededor de un altar, del bautisterio, de la pila de agua bendita, se disolvían al acercarse la nueva socia. Hubo algunas deserciones, se presentaron renuncias y cuando Reinerie exigió al Coadjutor una demostración pública de apoyo, éste no tuvo la osadía de hacerla.

Junto con su sobrina, Julia y Natalia dejaron de frecuentar el templo y la abrumaban de cuidados, de mimos, para compensarla, para protegerla. Gladys, Claudia, se sentía aplastada por aquel cariño como por la losa de una tumba. María experimentaba las torturas del Purgatorio; y en cuanto a Alicia se había borrado como si nunca hubiera nacido.

Una madrugada encontraron su cuerpo desnudo, aterido, amoratado, sobre la hierba del traspatio. Sin una exclamación afligida o interrogante, las tías le procuraron abrigo y remedio hasta que la muchacha volvió en sí.

Desde entonces la vigilaron con mayor asiduidad y se dieron cuenta de que reía silenciosamente y sin motivo, hablaba sola en el idioma de su madre y caminaba tambaleándose como si estuviera ebria.

Las señoritas Trujillo avisaron con urgencia a Germán. Pero el aviso no llegó a tiempo. Julia casi se desmayó de horror cuando encontró, esparcidos por los corredores, los restos de la gallina negra descuartizada. Y Natalia había visto algo más: cómo se alejaba, a la luz clandestina del amanecer, la silueta de una mendiga. Destrabó la aldaba de la puerta de calle, salió, cerró tras de sí.

Al través de los visillos de su vidriera Natalia la vio irse y no hizo ningún ademán para detenerla. Y aunque tenía los ojos nublados por el llanto pudo advertir que Reinerie iba descalza.

LOS CONVIDADOS DE AGOSTO

> Blanca me era yo cuando fui a la siega;
> dióme el sol y ya soy morena.
>
> LOPE DE VEGA

El *rompimiento* fue aquella madrugada mucho más ruidoso de lo que ninguno de los presentes era capaz de recordar. Las cámaras estallaban, los cohetes ascendían con su estela de pólvora ardiendo o zigzagueaban amenazadoramente entre los pies de la multitud. Las matracas, los silbatos de agua eran propiedad exclusiva de los niños, quienes se desquitaban —promoviendo todo el alboroto posible— de las prohibiciones cotidianas.

Las marimbas de los distintos barrios (renombradas y anónimas) desgranaban al unísono lo mejor de su repertorio: algunos sones tradicionales, el vals o la danza imprescindible y las melodías de moda, inidentificables en su adaptación a un instrumento no propicio y a una interpretación heterodoxa. Cada una trataba de anular el sonido de las demás, pero como no era posible por la opacidad acústica de la madera, la exasperación se convertía en un aceleramiento del ritmo, en un vértigo de velocidad que inundaba de sudor la frente, las axilas, los omóplatos de los ejecutantes, dibujando caprichosas manchas sobre sus camisas flojas de sedalina.

La gente reía; los hombres con sabrosura, sin disimulo; las mujeres a medias, ocultando los labios bajo el fichú de lana o el chal de tul o el rebozo de algodón, según si eran señoras respetables, solteras de buena familia o artesanas, placeras y criadas.

El gran portón de la iglesia estaba abierto de par en par. Así resaltaba mejor la reja de papel de china que las manos diligentes de los afiliados a las congregaciones, habían labrado durante la semana anterior. Filigranas inverosímiles por su fragilidad se sostenían gracias a oportunos pegotes de cera cantul. Cada figura era un símbolo: iniciales religiosas, dibujos de ornamentos litúrgicos, representaciones sagradas. Alrededor una leyenda lo abarcaba todo "¡Viva Santo Domingo de Guzmán, patrón del pueblo!"

El pueblo se impacientaba. ¿Por qué tardan tanto los sacerdotes para revestirse? Los que iban a comulgar habían comenzado a sentir un ligero vahído de hambre y miraban con codicia los termos llenos de chocolate que arrullaban las ancianas, experimentadas en estos trances.

Por fin la campana mayor sonó; un sonido grave, único, propio de su tamaño y de su carácter solemne. Era como una orden para que las otras se desencadenaran: ágiles, traviesas, llamando a la complicidad a los templos de los otros rumbos: primero fue San Sebastián, orgulloso de su prontitud. Después Guadalupe, inaudible casi de tan lejano. La Cruz Grande, como avergonzada de su insignificancia. La iglesia de Jesús, céntrica, pero debido a alguna causa oculta, sin párroco y sin asistentes que la frecuentasen. San José, colmada de los donativos de las mejores familias. San Caralampio, que siempre quería sobrepujar a todos en esplendidez y que al aviso respondía con la puesta en movimiento de una peregrinación en la que cada uno llevaba el cirio de más peso, la palma de más tamaño, el manojo de flores de mayor opulencia. Y por último, el Calvario, que no sabía doblar más que a difuntos.

Fue la campanada fúnebre, tan familiar, la que rompió el delgado hilo de somnolencia al que aún se asía Emelina. Desde el principio de la algazara sintió amenazados sus ensueños y se aferró a ellos apretando los párpados, respirando con amplitud pausada. Sus labios balbucieron una palabra cariñosa:

—Cutushito. . .
mientras estrechaba entre sus brazos, con el abandono que sólo da la costumbre, su propia almohada.

Las imágenes que cruzaban la mente de Emelina eran confusas. Se veía en San Cristóbal, en el sórdido cuarto de hotel donde en alguna ocasión se había alojado con su hermana, en el viaje memorable (por único) que ambas emprendieron a la ciudad vecina. Recordaba los pisos de madera, rechinantes y no muy seguros; las camas de latón (con el centro hundido por el peso de los sucesivos huéspedes) cuyas cobijas y sábanas examinó Ester con una minuciosidad anhelosa de hallar motivo a la repugnancia. El papel tapiz desgarrado a trechos, desteñido siempre; y el cielorraso que se abultaba imprevisiblemente, mancillado por la humedad. Ester insistía, al borde de un ataque de histeria, en que la causa no podía ser tan innocua: eran las ratas, los tlacuaches que habitaban el tapanco, los que así habían ensuciado aquella tela con sus deyecciones. Y toda la noche acechó inútilmente la presencia de los animales.

Sin embargo, la habitación aparecía transfigurada en el sueño de Emelina. Por lo pronto —¡qué alivio!— estaba sola. No, sola precisamente no. Faltaba Ester pero sentía la respiración de alguien allí. Alguien cuyo rostro no alcanzaba a distinguir y cuyo cuerpo no cuajaba en una forma definida. Era más bien una especie de exaltación, de plenitud, de sangre caliente y rápida cantando en las venas. Era un hombre.

Al despertar Emelina arrojó lejos de sí, colérica, la almohada que había estado estrechando. ¡Lana apestosa, forro viejo, funda remendada! ¿Cómo se había atrevido a sustituir a la otra imagen que aún no terminaba de desvanecerse? Estuvo a punto de estallar en lágrimas; pero la alcoba, invadida de pronto por los rumores alegres de la calle, obligó a Emelina a recordar que era día de fiesta y que esa fiesta era el vértice en que confluían sus ilusiones, sus esperanzas y sus preparativos de un año entero.

Acabó de animarla la entrada de la salera con una charola en que humeaba un pocillo de café recién hecho y un pequeño cesto de pan cubierto con una servilleta impecable. Emelina contempló a la muchacha que la servía; poco a poco había ido perdiendo su rudeza inicial para aprender las costumbres de la casa. No había traído un pocillo cualquiera, sino el suyo, el que tenía un filo dorado en los bordes y su nombre escrito, con enrevesadas letras, entre una profusión de azules nomeolvides.

—Es un recuerdo de mi abuela —explicó por centésima vez a la criada, mientras sorbía el primer trago—. Como me llamo igual que ella, heredé sus cosas.

La salera asintió con una cortesía ausente. Pensaba si sus fustanes se habrían secado con el sereno de la noche.

—¿Tú también vas a pasear hoy? —le preguntó Emelina, mientras mordisqueaba una rosquilla chuja.

—Sí, niña —respondió la otra ruborizada—. Ya tengo permiso.

—¿Vas a los toros?

La muchacha hizo un gesto negativo y triste. Sus ahorros no eran bastantes más que para asistir a la kermesse.

Dicen que los toreros son buenos este año —prosiguió Emelina, indiferente a la respuesta de su interlocutora—. Tienen que lucirse. Porque últimamente no nos mandan más que sobras.

Emelina depositó con cuidado la taza sobre el plato. Recordaba, con una especie de resentimiento, la feria anterior. No es que los toreros fueran buenos ni malos. Es que no habían sido toreros sino toreras. ¡Habráse visto! Los hombres estaban encantados, naturalmente, con el vuelo que se dieron. Pero ¿y las muchachas? Había sido una decepción, una burla. ¡Cuántas, repasó Emelina mientras se limpiaba con cuidado las comisuras de la boca, cuántas esperaron esta oportunidad anual para quitarse de encima el peso de una soltería que se iba convirtiendo en irremediable! Muchachas de los barrios, claro, que no tenían mucha honra que perder y ningún apellido que salvaguardar. ¡Y qué descaradas eran, Dios mío! Andaban a los cuatro vientos pregonando (con sus ademanes, con sus risas altas, con sus escotes) que se les quemaba la miel. Como la Estambul, por ejemplo, que se ganó el apodo a causa de sus enormes ojeras que ninguno admitía como artificiales. O como la Casquitos de Venado, que taconeaba por las calles solitarias, a deshoras de la noche.

—Llévatelo todo —ordenó Emelina a la sirvienta, quien se apresuró a obedecer.

De nuevo a solas, con el estómago asentado por el

refrigerio, Emelina se arrellanó en la cama y clavó la vista en el techo. ¡Qué raros le parecían hoy los objetos de los que no recordaba siquiera cuando los había empezado a usar! Esa lámpara de porcelana, con sus flores pintadas y una leve resquebrajadura en el centro. . .

—Cuando era yo una indizuela les presumía yo a mis amigas de que las cadenas eran de oro. Brillaban mucho entonces. Ay, malhaya esos tiempos.

Ahora las cadenas estaban completamente enmohecidas.

—Y es un trabajo delicado limpiarlas. Hay que buscar quien lo sepa hacer.

Desde luego ella no. Era una señorita decente, lo cual la eximía lo mismo de las tareas difíciles que de los peligros a que se hallaban expuestas las otras, las de los barrios, las de las orilladas.

—Todos los años el señor Cura lo repite en su sermón. ¿Qué se sacan con andar loqueando? Que algún extranjero, de los que vienen a la feria, les tenga lástima, se las lleve a San Cristóbal y, después de abusar de ellas, las deje tiradas allá. Y se regresan tan campantes como si hubieran hecho una gracia. Las debían de apalear. Pero los padres, los hermanos son unos nagüilones, unos alcahuetes. Más bien son ellas las que se encierran, para disimular un poco, hasta que nace su hijo. Cuando vuelven a asomar no son ni su sombra. Están sosegadas, como si ya hubiera pasado su corazón.

¿Qué hacía ahora la Estambul? Su niño iba a la doctrina y ella regenteaba un taller de costura. No cortaba mal los vestidos, pero tampoco era cuestión de solaparle sus sinvergüenzadas dándole trabajo. No, todavía no la habían sobajado lo suficiente. Tal vez para el otro año le encargaría una blusa.

La Casquitos de Venado no se quedó conforme con San Cristóbal y siguió hasta México, a correr borrasca. Nadie volvió a saber de ella. ¡Qué risa, cuando la vieron regresar a Comitán como señorita torera! El público, al reconocerla, comenzó a chiflar, a exigirle que se arrimara al toro y ella les sacó la lengua y se fue a esconder tras el burladero. Después, como de costumbre se derrumbó la plaza y en la confusión ni quien se fijara en nada. Después contaron que un finquero la hizo su querida y la mantenía en su rancho. Pero el rumor nunca pasó de rumor.

Sin saber por qué, Emelina se había ido poniendo triste. ¿Cuándo había sucedido eso? Los días son iguales en Comitán y cuando se da uno cuenta ya envejeció y no tiene siquiera un recuerdo, un retrato.

No quería parecerse a su hermana Ester.

Los ojos de Emelina se llenaron de lágrimas. Hay familias donde, no se averigua cómo, entra la saladura. Nadie se casa. Una tras otra, las mujeres se van encerrando, vistiendo de luto, apareciendo únicamente en las enfermedades y en los duelos, asistiendo —como si fueran culpables— a misa primera y recibiendo con humillación el distintivo de alguna cofradía de mal agüero.

Ester... ¿cuántos años era mayor que Emelina? Entre las dos no había más que un hermano. Mateo. Y su madre había quedado viuda muy pronto. Así que la diferencia de edad no podía ser muy grande.

—¿Será mi última feria de agosto? —se preguntó Emelina con angustia, palpando los músculos flojos de su cuello.

La última, la última. ¡Qué bien se acompasaban estas palabras con el melancólico tañido de las campanas del Calvario!

Para no pensar más, para aturdirse, Emelina se puso en pie. Su camisón arrugado cayó sin gracia hasta los tobillos. Deliberadamente dio la espalda a la luna del tocador para no verse, marchita, despeinada.

Fue al aguamanil y vació el contenido de la jarra sobre la vasija.

—El agua serenada es buena —penso—. Y en la canícula no se pasma uno, aunque esté fría.

Recibió sobre el rostro como un aletazo fuerte y tuvo la sensación de que las arrugas se borraban. Otra vez, otra vez. A tientas buscó algo con qué secarse. La aspereza de la toalla acabó por hacerla sentirse feliz.

Dos golpes a la puerta —breves, rápidos— sacaron a Emelina de su ensimismamiento y luego la voz de Ester.

—Ya va a dar el último repique. ¿No vas a la iglesia?

Emelina apretó la toalla contra la boca para que no fuera perceptible siquiera su respiración. No le gustaba discutir con su hermana, pues de antemano sabía que la disputa estaba perdida. Ester era razonable; sus argumentos eran hábiles o tenaces. No, no valía la pena arriesgarse. En cambio, si la suponía dormida, Ester no era capaz de entrar. Su confesor le había prohibido que espiara por las cerraduras, que escuchara las conversaciones, que irrumpiera repentinamente en los cuartos ajenos. Porque su pecado más rebelde era la curiosidad y estaba poseída por un celo amargo.

Otros pequeños golpes, urgentes, autoritarios. Y el llamado:

—¡Emelina!

Un estrépito de campanas la hizo enmudecer. Apenas se escuchaba el eco de unos pasos apresurados, alejándose.

Emelina depositó la toalla en su lugar y respiró profunda, burlonamente. Después, erguida, ante el espejo del armario, fue examinando, con lentitud, su desnudez.

Conocía su cuerpo centímetro a centímetro. Y gracias a la contemplación cotidiana, los cambios que iba sufriendo le pasaban inadvertidos. Cuando alguno se revelaba como demasiado evidente (una adiposidad indiscreta, el encallecimiento de zonas de su piel, una verruga, una mancha, una bolsa) apartaba de inmediato la vista y se cubría con la primera prenda que hallaba a su alcance. Hasta que su mente digería la noticia y se familiarizaba con ella volvía a contemplarse otra vez, con un detenimiento tan fijo que resultaba una forma de ausencia y distracción.

Gracias a Dios ahora no había ninguna novedad. Emelina se sintió joven, plena, intacta. ¿Cómo va a dejar huellas el tiempo si no nos ha tocado? Porque esperar (y ella no había hecho en su vida más que esperar) es permanecer al margen. ¡Cuántas veces había envidiado a las otras, a las que se lanzaban a la corriente y se dejaban arrastrar por ella! Su abstención debía tener recompensa.

Todavía clavándose una horquilla en el moño, Emelina salió al corredor. ¡Qué delicia la frescura del aire, la transparencia absoluta de lo azul que se derramaba sobre Comitán! Era la tregua de la canícula. Después volvería la lluvia a chorrear de los tejados; se desataría el viento que acecha, traicioneramente, detrás de cualquier esquina; se instalaría el dominio de lo gris.

Emelina se inclinó hacia las macetas. En los sitios sombreados estaban las colas de quetzal, opulentas; las enormes y malignas hojas del quequextle. No le gustaba este verdor estéril. Pero automáticamente arrancó un gajo marchito y sonrió de placer ante un retoño. Lo desrizó con la punta de los dedos, para no quebrarlo. Pero era flexible y vigoroso. Apenas suelto volvió a su posición natural.

Más allá floreaban los geranios, a los que Emelina no concedió siquiera una mirada. De todas maneras las plantas medrarían. ¡Era tan ofrecida, tan desvergonzada esta flor de pobre! En cambio su lujo se esponjaba en los crisantemos, en las dalias. Había encargado las semillas a México, cuando Concha, su amiga, hizo un único viaje a la capital. Y aconsejada por la cocinera —que tenía buena mano, que se aseguraba de cuál era la fase de la luna en que convenía sembrar o podar— logró un plantel ante el que diariamente se detenía, orgullosa y maravillada.

La jaula del canario estaba aún cubierta. Emelina se apresuró a retirar el trapo.

—¡Esta muchacha es más intendible! La próxima vez que yo la caiga en semejante delito, le voy a dar un buen jalón de orejas.

Hablaba con el pájaro para despertarlo. Este se desperezaba con parsimonia. Era viudo porque a su pareja se la llevó una peste. Viudo... ¿qué prisa iba a tener de comenzar un día igual a los otros? Emelina se compadeció.

—¿Y si yo le abriera la puerta?

Antes de terminar la pregunta ya había consumado el acto. Y con gestos y palabras cariñosas invitaba al canario a abandonar su prisión.

El canario dio unos pasos vacilantes hacia la salida y se detuvo allí, paralizado por el abismo que lo rodeaba. ¡Volar! Batir de nuevo unas alas mutiladas mil veces, inútiles tantos años. Avizorar desde lejos el alimento, disputárselo a otros más fuertes, más avezados que él...

Emelina seguía, con angustia, estas deliberaciones. Cuando el canario regresó, con una lenta dignidad, al fondo de la jaula, no supo si sentirse aliviada o sarcástica. Lo que le producía más desconcierto era lo extraño de su propia actitud.

—No sé qué me sucede hoy.

Estás loca, habría sentenciado Ester, que siempre diagnosticaba con precisión los hechos. Cuando se lo contara a Concha la dejaría boquiabierta de asombro; si, es cierto, la comprendería, ella misma hubiera sido capaz de un impulso semejante, sólo que... no se le habría ocurrido nunca.

Emelina se recostó perezosamente en la hamaca del corredor. El almuerzo no sería servido hasta que regresara Ester. Y la misa era muy solemne, oficiada por tres sacerdotes y, acaso también, por el obispo de Chiapas.

Meciéndose con la punta del pie Emelina comenzó, de pronto, a observar su alrededor con una nostalgia del que está a punto de partir. ¿Qué sería de aquellos brotes nuevos? ¿Y del canario, tan indefenso, cuya noche podía ser eterna por un descuido de la criada?

—¡No puedo irme! ¡No puedo dejar estas cosas! —dijo Emelina, retorciéndose las manos y con los ojos nublados de lágrimas.

—¿A dónde no puedes ir?

Era Ester, de carne, hueso y luto, parada frente a su hermana menor como un fiscal.

Emelina permaneció un instante aturdida, limpiándose la humedad del llanto con la punta del delantal. Había pensado en voz alta, como de costumbre y, como de costumbre, Ester la había sorprendido. Fruncía los labios en una sonrisa de lástima mientras doblaba el chal.

—¿Qué te impide hacer el viaje? ¿La autorización de Mateo?

Como si Mateo contara. El atrabancado de Mateo, el inútil de Mateo.

—Es el varón de la casa, el respeto de la familia. Y además —continuó Ester— ahora dispone de dinero. Vendió bien los muletos en la feria. Te lo daría, por si a mamá se le ofrece algún encargo. ¿Vas muy lejos?

Emelina había recuperado el dominio de sí. Unió sus manos tras de la cabeza con gesto insolente.

—No voy tan lejos como tú, que trabajas en las orilladas.

Ester enrojeció de ira. El trabajo, el lugar en que desempeñaba su trabajo, eran las llagas incurables que roían sus jornadas. Ante la directora de la primaria, donde se encargaba de los cursos elementales, ante los inspectores, ante los párvulos, su apellido no significaba nada ni sus antepasados ni su abolengo. Era una empleada ¿y de quién? De su peor enemigo, del Gobierno, que la había despojado de las propiedades que iba a heredar, que pisoteó sus derechos, que le quitó sus privilegios. Violentamente se alejó de una Emelina vencedora.

La casa empezó a llenarse de rumores. Una anciana tosía en el interior de una habitación; un hombre cantaba, enjabonándose la barba para rasurársela. Ester concedía un desahogo a su malhumor en la cocina, exigiendo a la servidumbre que se apresurase en los preparativos del almuerzo. Y cuando fue a inspeccionar la mesa del comedor —seguida sumisamente por la salera— no encontró plato que no estuviera húmedo, ni cubierto bien colocado, ni servilleta que le pareciese lo bastante limpia.

Emelina escuchaba con satisfacción, abandonada aún al ligero balanceo de la inercia. Si ella no fuera una perezosa estaría ayudando a su madre para que se vistiese. ¡Pero le repugnaba tanto el olor de la vejez! Y la presencia de cualquiera proporcionaría a la anciana la ocasión de iniciar, más temprano que siempre, sus delirios.

—Eso la perjudica, se justificó Emelina. Hay que dejarla en paz.

De pronto la sobresaltó un grito agrio, destemplado.

—¡Ester!

Su hermana pasó corriendo junto a ella, no sin dirigirle una mirada de rencor.

Con fingida mansedumbre comentó Emelina.

—Es a ti a la que llama. Parece como si los otros nombres se le hubieran olvidado.

¡Pobre Ester! Creyó que ser útil le haría cosechar elogios y no trabajos. Allí estaba ahora, abotonando algún broche, de las complicadísimas batas de su madre; sosteniendo la casa (porque Mateo no era capaz de sacarlas de apuros con la administración del rancho). Y palideciendo de envidia ante los pequeños placeres que disfrutaba Emelina: las plantas, el canario, su amistad con Concha, sus paseos.

Porque Emelina aprendió muy pronto que la torpeza propia es más fuerte que las exigencias de los demás. Se cansan de ordenar, de corregir, de rehacer. Prefieren llevar la carga que arriar el burro.

La salera iba y venía, de prisa, como si se tratara de un asunto importante, de la cocina al comedor. Los platos resonaban al entrechocar. Y un olor incitante se esparcía, congregando a la familia para el desayuno.

Emelina entró cuando ya los demás ocupaban sus puestos. La madre —impecablemente peinada y vestida por su hija mayor— presidía la mesa. A distancia podría engañar a un observador con la rigidez de su porte. Pero un continuo lagrimeo, que no parecía advertir ni se preocupaba por enjugar, era el síntoma inconfundible de la falta de gobierno de su mente, del desorden de su espíritu.

Hablaba, sin dirigirse a nadie en particular, sin hacer caso de las interrupciones o de la falta de atención. Las palabras fluían de su boca con la misma falta de voluntad con que las lágrimas resbalaban de sus ojos.

—¡Qué guapo era Lisandro! ¡Qué espléndido! La primera serenata que me dio no fue, como la de un cualquiera, con marimba. Hizo que trajeran un armonio desde San Cristóbal... pero no le importaba tirar el dinero a manos llenas. Ninguno se atrevió a echarle en cara su despilfarro. ¿Cómo iba a dejar que tocara para mí, ¡para mí!, cualquier piano desafinado o una guitarra o una mandolina, que es pasatiempo de peluqueros? Y para que no quedara piedra por mover, mandó imprimir programas que se repartieron entre el vecindario. ¡Qué animación, en plena noche! Los semaneros de sus fincas encendieron fogatas a media calle y hachones de ocote en las ventanas y las esquinas. Pero mis padres no iban a permitir que ninguno, ni Lisandro, les pusiera un pie adelante. Correspondieron con refrescos y chocolate, para las señoras; entre los hombres repartieron licores y cigarros...

La anciana depositó, con cautela, el tenedor sobre el centro de su plato y se reclinó en el asiento, entregada totalmente a la evocación. Las lágrimas resbalaban por sus mejillas. Ester se puso de pie, le limpió el rostro con un pañuelo y la obligó a que tomara de nuevo el tenedor.

—Coma usted, madre. Se va a traspasar.

La anciana obedecía a regañadientes. ¿Por qué ese afán de arrojarla del paraíso de sus recuerdos felices a este presente hostil? Contempló a Mateo con expresión crítica.

—Deberías parecerte a Lisandro.

Mateo farfulló una disculpa ininteligible. Era tartamudo y prefería el silencio al ridículo.

A su turno, Ester lo examinó también sin indulgencia. Veía, en sus ojos inyectados, en sus labios resecos, los rastros de una parranda. Con una solicitud irónica, ofreció:

—¿No prefieres un buen caldo con chile pastor? Dicen que revive las fuerzas.

Emelina rió hasta atragantarse.

—¿Dónde aprendes esas cosas, Ester? Son recetas de casada.

Ester abatió los párpados con severidad.

—Cuando se tiene por hermano a un borracho es necesario saber de todo.

Mateo quiso defenderse. No era un borracho. ¿Por qué esta solterona estúpida era incapaz de comprender que en la feria de agosto pasaría ante los ojos de sus amigos como un apulismado, si no los acompañaba en sus diversiones? ¿Y dónde creía esta infeliz que se cerraban los tratos comerciales? En las cantinas, en los palenques, en. . .

La longitud de la réplica lo aterrorizó. No dijo una palabra.

Triunfante, Ester se sirvió un trozo más de cecina. La anciana continuaba hablando.

—Lisandro sí era un hombre de gabinete entero, no como los de ahora. Lo mismo domaba una yegua que componía unos versos. En mi álbum de soltera guardo los primeros que me dedicó. *A unos ojos*. Eran mi quedar bien. Todos me los piropeaban. Pero por modestia mis padres me enseñaron a tener la vista baja.

Ahora, en cambio, exhibía con impudicia la fealdad.

Emelina sintió una aguda punzada de angustia. Ella también llegaría a la vejez, pero sin haber estrechado entre sus brazos más que fantasmas, sin haber llevado en sus entrañas más que deseos y sobre su pecho la pesadumbre, no de un cuerpo amado, sino de una ansia insatisfecha.

—Emelina, estás desganada hoy. ¿También te desvelaste anoche?

Ester acechaba, en el rostro demacrado, algún signo que evidenciara la existencia de los sucios secretos contra los que sus libros de devoción la habían prevenido. Creyendo haberlo hallado sonrió, complacida.

—Voy a bañarme dentro de un rato. No quiero que me dé una congestión.

—¿Has oído? —profirió Ester, dirigiéndose a su madre como si ignorase su sordera—. Emelina ya dispuso ir a la feria, como el año pasado. No le sirvió de escarmiento. . .

Emelina se puso de pie.

—¿Y por qué había de escarmentar?

Ester pretendía ahora que sus palabras habían sido mal interpretadas. Continuaba apelando al testimonio inexistente de su madre.

—Es un año, más, ¿verdad? Uno más, sobre muchos otros. Treinta y cinco, yo llevo bien la cuenta. Es triste ponerse a competir con las jovencitas. La gente se burla.

—¡No todos son tan malos como tú!

Ante la descompostura de Emelina, Ester conservaba su tranquilidad. Con un leve alzamiento de hombros, remachó:

—El que por su gusto muere. . .

Emelina abandonó el comedor sollozando sin consuelo. Todavía la alcanzaron las últimas frases de su madre.

—Cuando vi entrar a Lisandro, cargado en una parihuela y con un tiro en mitad de la frente, creí que iba yo a volverme loca.

Emelina se encerró con llave en su recámara. Durante unos minutos su agitación fue extrema y no lograba calmarla ni paseándose, ni hundiendo la cara en el agua fría de la vasija. Sólo la contemplación de su imagen frente al espejo logró producirle una especie de hipnosis. Hubiera querido descubrir algo (una señal, un llamado, un destino) tras la superficie pulida que copiaba unos rasgos sin expresión, que devolviese una máscara del vacío.

Las campanas volvieron a repicar. Emelina recuperó bruscamente la noción del tiempo y abandonó su encierro. Procurando evitar encuentros que volviesen a turbarla, fue hasta la cocina para averiguar si la salera había cumplido sus órdenes.

Sí, había comprado cuatro burros grandes de agua; sí, había prendido, desde hace rato, el calentador de lámina; sí, había arrimado una batea de madera a la artesa principal; sí, había amole y jabón suficiente; sí, la toalla estaba limpia y seca. Sí, tendría preparado el cordial para cuando Emelina terminase de bañarse.

Emelina se cercioró de que la temperatura del agua era satisfactoria e inició el rito del baño con una minuciosidad supersticiosa. El cuero cabelludo le ardía, su piel estaba roja cuando se sumergió en la artesa para enjuagarse. El agua la cubría hasta el cuello y su tibieza iba penetrándole como un sopor, como una lasitud irresistible. Dejó caer los párpados, aflojó las manos que se asían a los bordes. ¡Qué delicioso era abandonarse así al placer y al peligro! Porque un grado más, un mínimo grado más de inconsciencia, bastarían para hacerla resbalar hasta el fondo y ahogarse.

—Su cordial, niña.

Emelina se irguió, sobresaltada, tratando de ocultar su desnudez.

—No te lo había yo pedido —reprochó acremente a la excesiva e inoportuna solicitud de la salera.

—Es que como tardaba usted tanto, creí que me había yo distraído —se disculpó la muchacha, acostumbrándose poco a poco a la penumbra y alcanzando a distinguir una figura que se envolvía, con precipitación y temblor, en una sábana de Guatemala.

Emelina se la acomodó a la manera de una túnica, lo que dejaba en libertad su brazo derecho. Al alargarlo pudo asir la taza.

El líquido humeaba, cargado de especias y enardecido de licor. Inflamó su garganta y, con una oleada roja, devolvió el ánimo a Emelina.

—Sécame el pelo —ordenó a la criada.

Mientras frotaba los largos y desteñidos mechones,

la muchacha se atrevió tímidamente a sugerir:

—Sería bueno que se oreara un poco; el solecito la ayudaría a entrar en calor. No se vaya usted a pasmar.

Emelina habría deseado que se prolongase este momento de pasividad. El alcohol se disolvía en sus venas como una laxitud suave, penetraba en sus huesos, desarticulándolos. Era incapaz de hacer el más pequeño esfuerzo; ni vestirse, ni peinarse. Pero la silla era demasiado incómoda y la sábana, traspasada de humedad, había empezado a producirle escalofríos. Con un ademán de asentimiento despidió a la criada. Y unos minutos después Emelina se tendía en el patio, sobre una mecedora de mimbre, dormitando. La salera la peinaba con delicadeza.

Realmente ni la temperatura del baño ni la cantidad de cordial justificaban lo profundo de su sopor ¿Le habrían puesto algún bebedizo? Ester. No para hacerle daño. Sólo para impedir que asistiera a la feria. Sí. Ester era muy capaz. Ester. . .

Fue el último nombre claro que registró su mente. Un torbellino de imágenes confusas, mezcladas, se enseñorearon de ella. Un torero resplandecía, gallardo, dentro del traje ceñido a su esbeltez, a su elasticidad, a su gracia. Saludaba al público sonriendo con una especie de impudicia —como si hubiera ejecutado una gran faena— mientras el toro volvía vivo al corral. La rechifla sobrevino, incontenible. En los tendidos de sol se inició un pataleo imprudente, rítmico y contagioso. La insistencia fue tal que resquebrajó las tablas mal unidas de la plaza.

El derrumbe tuvo la lentitud de los sueños. Cada uno se asía a su vecino y las mujeres aprovechaban el pretexto para permitir efusiones que ya no eran de terror. Chillaban histéricamente y muchos hombres, que desde abajo atisbaban el revolear de las faldas, emitían exclamaciones obscenas, gritaban también, aplaudían, ahogando este ruido el de la madera vencida.

Porque tal accidente —que a fuerza de repetirse llegó a transformarse en tradición— era el punto culminante de la feria. Algunos pagaban por él, como era justo. Magulladuras, raspones y, en casos extremos, el aplastamiento, la asfixia, de algún mirón anónimo y sin importancia. Pero a cambio de eso ¡cuántos encuentros que prosperaban en noviazgos! ¡Cuánta doncellez cuya pérdida se disculpaba con una explicación! ¡Cuántos desahogos permitidos!

Emelina se despertó sacudida, al mismo tiempo, por el vértigo del descenso y por el rumor de unos pasos masculinos en el zaguán.

La salera había terminado de peinarla y así pudo volver libremente la cabeza. Alcanzó apenas a distinguir la espalda de Enrique Alfaro, el amigo más asiduo de Mateo.

¿La habría visto al entrar? Con un pudor tardío Emelina alcanzó a ceñir el escote demasiado generoso, a componer su rostro inerme, a envarar su cuerpo sin vigilancia.

¿La habría visto al entrar? En esta pregunta había tanto de vergüenza como de esperanza. Enrique, a pesar de la costumbre de tantos años de frecuentación, no había llegado a ser tan innocuo como Mateo. Seguía inquietándola, como cualquier extraño, por su calidad viril. Recordaba aún, con una triste sensación de fracaso, la temporada aquella, en la finca. Se bañaban juntos en el río y se mecían en hamacas próximas en los anocheceres calurosos. Emelina soñó entonces que el huésped (que conocía tan bien los recovecos de la casa, que la conocía tan bien a ella) empujaba levemente la puerta de su alcoba, la puerta que no se aseguraba nunca con aldaba ni pasador y cuyas hojas permanecían, durante la noche entera, entreabiertas. El intruso avanzaba en la oscuridad pronunciando en voz casi inaudible el nombre de Emelina. Ella no respondía más que con un acezido anhelante y angustioso. Después... ¿para qué pensar en el fin de lo que nunca tuvo principio? Las figuras de este ensueño fueron perdiendo, poco a poco, su color y su viveza, igual que los pétalos marchitos entre las páginas de un libro.

La altura del sol sobresaltó a Emelina con lo avanzado de la hora. Se sacudió los últimos vestigios de somnolencia y se puso de pie. La atmósfera de su cuarto —fresca, de ladrillos húmedos y aire intacto— la ayudó a recuperar su energía.

Ahora se contemplaba ante el espejo, ya lista para irse. La complacía su apariencia y los elogios desmedidos de Concha reforzaron su juicio. Naturalmente Emelina tuvo que corresponder al halago, aunque lo hizo con menos largueza. De las dos era la que se reservaba el privilegio de la crítica, el examen severo y hasta la desaprobación. Aunque su lenguaje era tan reticente y su prudencia tan exquisita, que la otra se suponía honrada por una forma superior de la alabanza.

Las amigas salieron a las calles sosteniéndose mutuamente —no sólo para guardar el equilibrio, precario siempre, entre la altura de los tacones y la desigualdad de las piedras— sino más que nada en su certidumbre de que aún eran jóvenes, de que aún su vida no había cuajado irremediablemente en el aborrecible molde de la soltería.

Pasaban ante los visillos, apenas corridos, de las ventanas, erguidas, sin aceptar la mirada de conmiseración o de burla que las prudentes, las resignadas, les dirigían.

En su camino las solteras esquivaron el sitio donde los chalanes hicieron sus compraventas y que apestaba demasiado aún a estiércol; no se pararon, ni por curiosidad, ante los puestos de las custitaleras que desplegaban sobre petates, corrientes y manchados, lo que les sobró de su mercancía; dieron la espalda a las diversiones de los niños, de los fuereños, de la plebe. Así, no probaron ni su puntería en el tiro al blanco ni su suerte ante los cartones de la lotería. Tampoco se entretuvieron —más que lo indispensable— en atravesar el parque, donde giraba una multitud de criadas y artesanos cuya forma de coqueteo era la grosera y elemental de arrojarse puñados de confetti a la cara (si era posible a la boca abierta en la distracción o en la carcajada) o serpentinas que se enredaban en las melenas indomables, abundantes y negras de las mujeres.

Por un acuerdo tácito Emelina y Concha fueron directamente a la taquilla de la plaza de toros.

Era molesto llegar tarde porque cada aparición era saludada por el público con un grito certero que desencadenaba la hilaridad de todos: el sobrenombre personal o familiar, la alusión ingeniosa a alguna circunstancia ridícula del recién llegado.

Emelina y Concha tuvieron que hacerse las desentendidas de un estentóreo *¡Las dos de la tarde!* lanzado sobre ellas por algún apodador profesional. ¿Tendría éxito? A juzgar por el murmullo de contentamiento colectivo era de temerse que sí. Pues bien. Ya cargarían, hasta su muerte, con semejante cruz. Después de todo no serían las únicas en Comitán, al contrario. Era cuestión nada más de acostumbrarse. Disimular el colerón con una sonrisa mientras buscaban donde acomodarse.

Eran preferibles los asientos más bajos. La visibilidad era allí menor pero también el impacto del derrumbe.

Las amigas se sentaron y, a su vez, rieron cuando entró un flemático cornudo, renuente a admitir su condición ni con la evidencia de los anónimos más precisos. Daba el brazo, con deferencia excesiva, a una esposa insolentemente joven, guapa y satisfecha. El que no se atrevía a comparecer ante el tribunal popular era el amante, temeroso de que cualquier escándalo desbaratase la boda de conveniencia que urdía.

Entró la muchacha pobre pastoreando a una idiota rica, cuyos padres pagaban con esplendidez los cuidados y la compañía de los que ellos quedaban eximidos. Entró, cohibida, la pareja en plena luna de miel. Sus esfuerzos por aparentar inocencia y distancia (no se atrevían, siquiera, a tomarse de la mano) aumentaba a los ojos ajenos el aura de erotismo que los nimbaba. Entró el viejo avaro, cuya familia aguardaba afuera la narración del espectáculo que iba a presenciar. Entró la Reina de la Feria, adoptando actitudes de postal por medio de las cuales trataba de hacer patentes sus méritos y su modestia. La acompañaba una corte de princesas y chambelanes; ellas procurando que no se trasluciese su despecho de no haber resultado triunfadoras y con una ansia de que el público descubriera los defectos de la elegida para convenir en que el fallo habia sido injusto; ellos, orgullosos de su papel e incómodos dentro de sus trajes solemnes y sus corbatas de moño.

Entró, por fin, el juez de plaza que dio la orden de comenzar la corrida.

Una corneta aguda, destemplada (cortesía del jefe de Guarnición), el rápido pasodoble ejecutado por una marimba, fueron los preámbulos de la aparición de los toreros. Caminaban con el garbo de su profesión, aunque no alcanzasen a ocultar lo deslucido y viejo de su vestuario.

Los capotes revolaron un instante por el aire hasta ir a caer, como homenaje, a las plantas de las autoridades municipales, de la Comisión Organizadora de la Feria, de la reina y sus acompañantes, quienes ocupaban palcos especiales.

Al primer toro hubo que empujarlo para que saliera a la lid. Reculaba tercamente, acechando la primera oportunidad de volver a su refugio. Su pánico era tan manifiesto que contagió de él a sus adversarios que corrían desordenadamente, dándose de encontronazos, en su afán de esconderse tras los burladeros.

Pasado este primer momento de sorpresa cada protagonista asumió la actitud que le correspondía. Se hicieron simulacros, tan infortunados como ineficaces, de las suertes que excitan la furia del animal. Pero las banderillas, la intervención de los picadores no hicieron más que recrudecerle su nostalgia por los toriles.

Además, como todos los culpables, la bestia rehusaba mirar de frente. Ya podía el trapo rojo cubrir hasta el más ínfimo de sus ángulos visuales, que siempre le quedaría el recurso de agachar el testuz y entrecerrar los párpados.

La muerte no fue empresa fácil. El toro corría con una agilidad de ciervo y agotaba de cansancio a sus perseguidores. De un salto, que ninguno pudo evitar, traspuso los límites de la arena. Algunos espectadores huyeron; otros trataron de hacer alarde de valor. Esto duró únicamente el tiempo que el toro necesitaba para orientarse. En cuanto reconoció el rumbo de su querencia fue derecho hacia ella. Pero apenas llegaba, la mano diestra del matancero oficial, se descargó (armada de un largo cuchillo) sobre el lugar exacto.

Los demás ejemplares no alcanzaron cimas más altas que el primero. El público se sentía defraudado y, como siempre, comenzó a patear. Se aproximaba el clímax. Entre el alboroto de las descargas incesantes, fue insinuándose un rumor, tímido, seguro, creciente, de madera que chirría, que cruje, que se rompe, que cae.

Lo demás se desarrolló con los pasos sucesivos de un ritual. En la confusión del derrumbe Concha y Emelina quedaron separadas y pugnaban por volver a reunirse, sin lograr romper la barrera de gente y escombros que cada vez las alejaba más.

De pronto Emelina comenzó a sentir un mareo intenso; un sudor frío le empapó las manos, corrió a lo largo de su espalda, le puso lívida las sienes. Sin resistencia fue dejándose tragar por el vértigo.

Cuando volvió en sí estaba en brazos de un hombre desconocido que la hacía beber, a la fuerza, un trago de comiteco. Emelina (que no supo si deliraba aún) cesó de hacer gestos de repugnancia y bebió con avidez un sorbo y otro y otro más. El aguardiente le devolvía el pulso, le ordenaba los sentidos, la vivificaba.

Pero no únicamente a ella, como cuando bebía a escondidas; sino que todo su alrededor iba cobrando, de pronto, un relieve inusitado. Los colores eran intensos, los perfiles más nítidos, los aromas casi tangibles.

Lo que así la embriagaba no era el licor, sino la proximidad del hombre. Emelina dilataba las narices como para que la invadiese plenamente esa atmósfera ruda, que no era capaz de definir ni de calificar, pero que reconocería en cualquier parte.

El contacto con las manos del hombre (que la ayudaban a escapar de la especie de trampa en que había quedado presa) no hizo más que intensificar la convicción de que esta vez no era un sueño sino la realidad el mundo en que se movía. Estaba bien instalada aquí y no iba a abandonarla por más que escuchase el reclamo —cada vez más remoto e irreconocible— de Concha, quien la instaba a que la siguiera.

Emelina fingió no escuchar y además cerró los ojos de nuevo, para no correr el riesgo de que sus miradas se cruzaran con las de algún conocido que se comidiera a hacerle mal tercio. Cuando el hombre le preguntó con quién o quiénes había venido a la corrida, Emelina respondió, con ese aplomo con que ha de respaldarse lo inverosímil, que sola.

La pareja salió, al fin, de la plaza. El hombre, al observar la palidez del rostro de Emelina y la debilidad del ademán con que quiso apartarse el cabello de la frente, se apresuró a sostenerla, temeroso de un nuevo desmayo. Buscó algún asiento vacío en el parque, para sentarla, pero todos estaban ocupados por matrimonios aburridos, niños inquietos y cargadoras resignadas. El hombre condujo entonces a Emelina al kiosco, donde funcionaba una especie de cantina.

Ella se dejó conducir a ese sitio, que ninguna señorita decente pisaría, como si el itinerario no admitiera rectificación. Consciente ya de lo que su conducta significaba de desafío al pueblo entero de Comitán, irguió la cabeza y sus ojos vidriaron de orgullo. ¿No la habían sentenciado ya todos —por boca de Ester— al aislamiento? Pues allí estaba, exhibiendo la presa que había cobrado: un macho magnífico.

Por un momento tuvo la tentación de observarlo. Pero

la desechó inmediatamente. Le bastaba sentir junto a ella la presencia sólida, la complexión robusta, la estatura generosa. Además esa voz autoritaria con que exigió la mesa mejor situada y el servicio más eficiente. Era un hombre que sabía mandar.

El mesero, improvisado, procuraba cumplir satisfactoriamente una tarea cuya rutina más obvia ignoraba. Con timidez sacó de debajo de su delantal un papel manoseado que se suponía era la carta. Lo ofrecido allí no era muy atrayente: helado de vainilla, enriquecido con alguna galleta antediluviana; gaseosas autóctonas y granizados insípidos. El hombre devolvió el papel con sonrisa despectiva y pronunció una palabra espiando la aprobación de Emelina.

—Una botella de chianti y dos copas.

Emelina asintió, como si hubiera comprendido. Pero el mesero, ajeno a la fascinación de la muchacha, permaneció atónito, en espera de alguna frase más que lo ayudara a descifrar el enigma. El hombre concedió, al fin, con un ademán a la vez impaciente y benévolo.

—Vino. El más caro que haya.

!Vino! Esto iba más allá de las imaginaciones más audaces de Emelina. Y cuando tuvo ante sí un líquido rojo que gorgoriteaba al trasegarse de la botella a la copa, lo contempló con la fijeza estúpida con que las gallinas contemplan la raya de gis con que puede hipnotizárselas.

La voz del hombre, imperativa, la sacó de su ensimismamiento:

—¡Salud!

Ella alzó la copa y se la bebió sin respirar, sin percibir casi el sabor extraño y agrio que le repugnaba un poco. ¿Era figuración suya o el hombre estaba observándola con una insistencia ligeramente burlona? Ella también se sentía con disposición de reír de sí misma. Depositó la copa vacía sobre la mesa y no tuvo necesidad de pedir que se la llenaran de nuevo. Ahora, segura de que su sed sería saciada, se daba el lujo de que el vino permaneciese intacto frente a ella. Además se le había desatado una locuacidad incontenible. Hablaba de Ester como si el hombre la conociera. De la locura de su madre, de la ineptitud de su hermano. Suponía que la escuchaban con interés. Pero el hombre la interrumpió de nuevo con la palabra sacramental:

—Salud.

Emelina dio algunos sorbos a su copa y continuó hablando. De Concha, pobrecita, que estaba envejeciendo dentro de unos vestidos horribles. De ella misma, al fin.

Se compadecía un poco, por tantos años de espera, de soledad. Pero la recompensa era sobrada. Hoy se borraba todo, afirmó con una solemnidad cómica, apurando hasta el fondo de la copa.

No quiso alzar los ojos por miedo a ver la cara del hombre. Un resto de lucidez le avisaba que tuviera prudencia. Sólo miró, con una obstinación pedigüeña, la copa vacía que inmediatamente fue llenándose.

Emelina aguardaba la señal para beber de nuevo. Pero el hombre le dijo:

—La están buscando.

Era Concha. Seguro que era Concha. ¿A quién más iba a ocurrírsele ser tan inoportuna? Emelina, en vez de responder rio con una carcajada tan fuerte que los ocupantes de las otras mesas, que no habían cesado de observarla a hurtadillas, se atrevieron a contemplarla de frente.

—Déjela. Nunca se atreverá a subir las escaleras del kiosco. Está sola ¿verdad?

El hombre asintió.

—¿Ve usted? Una mujer sola no es capaz de nada. Como yo, antes de que vinieras.

La frase le pareció acertada y el tuteo normal. Para felicitarse alzó la copa. Ahora empezaba a gustar del líquido. Aunque no demasiado. Además tenía prisa. ¡Le quedaba tan poco tiempo!

—¿No bebes? —preguntó a su compañero.

—Estoy desarmado —admitió, al tiempo que pedía otra botella de lo mismo.

—Las comitecas tenemos fama de ser más aguantadoras que los hombres.

—Tienen fama de otras cosas también —añadió ambiguamente el otro.

—Ya te contaron el cuento de que no se nos puede echar un piropo sin que corramos a hacer la maleta para huirnos.

Emelina estaba encantada de su audacia. Fue el hombre, quien retrocedió.

—Conocía yo el dicho: Comitán de las Flores. Por sus mujeres bonitas.

Y aprovechó la última frase como brindis.

—Pues el dicho es falso —se obstinó Emelina—. No hay una sola que valga la pena. ¡Esa reina, por Dios! No la querría yo ni para molendera.

—¿Y usted?

La voz del hombre era neutra; ni sarcástica ni galante.

—A mi me tocaron otras cosas. Soy... bueno, fui hace muchos años...

Hizo como si contara con los dedos y luego abandonó el propósito con un ademán de impotencia.

—¿Qué importa? Tu no me conociste entonces.

—Por el gusto de conocerla hoy.

Chocaron las copas. La de Emelina derramó algo de su contenido y ella no pudo reprimir un ay de consternación.

—¡No quiero desperdiciar nada!

El hombre se apresuró a llenar de nuevo el recipiente. Emelina sonreía con gratitud infantil.

—En las piñatas nunca me tocaron más que las sobras. Las demás se avalanzaban a arrebatar lo mejor. No tenían miedo de desgreñarse, ni de pelear, ni de caer. Yo siempre fui muy tímida.

—¿Y ahora? —dijo él.

Emelina se le enfrentó. Hizo un gesto grave, lento, negativo.

El hombre aparentó no verlo y llamó al mesero. Le urgía pagar la cuenta.

Se puso de pie y, al guardar la cartera en un bolsillo interior del traje, Emelina adivinó el bulto de una pistola. Este descubrimiento le pareció maravilloso. Hubiera querido aplaudir, mostrarlo a los demás. Pero había una especie de distancia insalvable entre sus pensamientos y sus actos.

—Vámonos.

Emelina movió la cabeza, riendo quedamente.

—No puedo. . . no puedo levantarme.

El hombre la alzó en vilo y así cruzaron entre los parroquianos, escandalizándolos y divirtiéndolos.

El descenso de las escaleras del kiosco fue un poco más fácil. Emelina se asía del barandal, tambaleante. Le asustaba que la grada siguiente estuviera tan desmesuradamente distante. El hombre la ayudó lo mejor que pudo y pronto estuvieron otra vez en tierra firme.

—¿La llevo a su casa? —preguntó él.

—No, claro que no. Nunca volveré allí.

—Entonces yo escogeré el rumbo.

Era lo convenido. Cualquier otro desenlace carecía de justificación.

El hombre conducía a Emelina, con firmeza, hacia una de las salidas del parque, la que desembocaba al punto en que se estacionan los automóviles de alquiler.

Emelina se apoyó en una de las puertas traseras, mientras el hombre arreglaba con el chofer los detalles del precio y la dirección.

Fue un momento después cuando se produjo la catástrofe. Quién sabe de dónde salió Mateo, envalentonado por la borrachera y por la compañía de Enrique Alfaro. Hubo un breve diálogo, salpicado de insultos, entre los hombres. Emelina quiso intervenir pero alguno la empujó con brusquedad. No cayó al suelo porque la gente se había arremolinado a su alrededor para presenciar la pelea. Lo último que alcanzó a ver Emelina fue el ademán de los contendientes al quitarse el saco. Enrique la apartó con violencia de allí.

La arrastró entre la multitud, que en vez de estorbarlo, empujaba a Emelina con rumbo a su casa. De nada le valió a ella resistirse. Tropezaba a propósito, se dejaba caer. Pero implacablemente, volvían a levantarla y la obligaban a avanzar unos pasos más. Se asía al hierro de los balcones, se estrellaba contra los quicios de las puertas. En vano. Tenía que luchar, no sólo contra una fuerza superior a la suya, sino contra su propio desguanzamiento, contra la inercia que le paralizaba los miembros, contra la náusea que le revolvía las entrañas, contra el mareo que la hacía cerrar los ojos.

Poco a poco, sin consultar a la voluntad de Emelina, la resistencia cesó. Ella se sostuvo de los barrotes de una ventana y el llantó comenzó a fluir, abundante, fácil, incontenible, hasta su cauce natural.

—¿Por qué? —gemía vencida, sin comprender—. ¿Por qué?

La respiración de Enrique estaba hinchada de cólera. Sacudió con desprecio a Emelina.

—¡Has deshonrado tu apellido! ¡Y con un cualquiera! ¡Con un extranjero aprovechado!

Emelina negó con vehemencia.

—El no. . . no me iba a hacer nada malo. Sólo me iba a enseñar la vida.

Cuando adquirió plena conciencia de que la oportunidad había pasado, Emelina se puso a aullar, como una loca, como un animal.

Enrique se apartó de ella. Que se quedara aquí, que regresara a su casa como pudiera. El no podía tolerar más ese aullido salvaje, inconsolable.

Enrique echó andar sin rumbo por las calles desoladas. De lejos le llegaba el eco de las marimbas, de los cohetes, de la feria. Pero no se apagó siquiera cuando Enrique golpeo, con los aldabonazos convenidos, la puerta del burdel.

El pasado es un lujo de propietario
JEAN PAUL SARTRE

Doña Cástula servía siempre el último café de la noche a su patrón, don Carlos Román, en lo que él llamaba su estudio: un cuarto que primitivamente había sido acondicionado como consultorio pero del cual, por la falta de uso, habían ido emigrando las vitrinas que guardaban los instrumentos quirúrgicos, las mesas de exploración y operaciones, para dejar sólo un título borroso dentro de un marco, un juramento de Hipócrates ya ilegible y una reproducción en escala menor, de ese célebre cuadro en que un médico —de bata y gorro blancos— forcejea con un esqueleto para disputarle la posesión de un cuerpo de mujer desnudo, joven, y sin ningún estigma visible de enfermedad.

A pesar de que el estudio era la parte de la casa más frecuentada por don Carlos, y en la que permanecía casi todo el tiempo, se respiraba en él esa atmósfera impersonal que es tan propia de las habitaciones de los hoteles. No porque aquí no se hubiera hecho ninguna concesión al lujo, ni aún a la comodidad. Sino porque el mobiliario (reducido al mínimo de un escritorio de caoba con tres cajones, sólo uno de los cuales contenía papeles y estaba cerrado siempre con llave, y una silla de cuero) no había guardado ninguna de esas huellas que el hombre va dejando en los objetos cuando se sirve cotidianamente de ellos. Ni una quemadura en la madera, porque don Carlos no fumaba; ni el arañazo del que saca punta al lápiz con una navaja, ni la mancha de tinta, porque no escribía. Tal vez lo único era una leve deformación en la materia de la silla por el peso del cuerpo que soportaba. O esa tolerancia (porque era tolerancia y no elección) a la presencia de unos anaqueles con libros que, por otra parte, no se abrían jamás.

Doña Cástula colocó la bandeja con la cafetera y la taza (desde algún tiempo atrás don Carlos se prohibió a sí mismo el consumo del azúcar porque decía que a su edad ninguna prudencia es bastante) sobre el escritorio. Y mientras su patrón sorbía los primeros tragos, calientes, aromáticos, sacó de la bolsa de su delantal la cuenta de los gastos del día para que fuera sometida a revisión.

Don Carlos la examinó cuidadosamente, deteniéndose a veces en la explicación de un detalle, en la reprobación de algún exceso inútil o en el irritado comentario del aumento de precio de algún artículo. Por fin, sumó las cifras, refunfuñando y, con un gesto de resignada conformidad, guardó el papel en la carpeta destinada a tal uso. Doña Cástula aguardaba la consumación de este último gesto para retirarse porque el ritual había terminado. Pero a su *buenas noches* respetuoso don Carlos no respondió con el *buenas noches* condescendiente sino con una casual observación sobre el tiempo.

—Hace un poco de frío ¿verdad?

—¿Quiere usted que yo prenda el brasero, señor?

—No, no es para tanto. A mí el frío me hace sentirme bien. Y a ti ¿no te gusta?

Doña Cástula levantó los hombros, desconcertada. Nunca se le había ocurrido que el clima fuera cuestión de gustos y mucho menos de los de ella.

—Porque el rancho donde te criaste es más bien de tierra caliente.

—Sí, señor. Pero ya ni me acuerdo. Como me ajenaron desde que era yo asinita... Y serví siempre en Comitán.

—Siempre en mi casa, querrás decir. Empezaste por ser mi cargadora.

—¡Las cuerizas que me daba su santa madre, que de Dios goce, cuando nos encontraba hablándonos de vos! Igualada, decía, me lo vas a malenseñar. Y luego, para que se volviera usted gente fina, lo mandaron a rodar tierras.

—Mientras tanto tú te aprovechaste para echar tu cana al aire ¿no?

Doña Cástula se tapó con el delantal la cara roja de vergüenza.

—Ay niño, lo que es ser mal inclinada y terca. Todos me lo ahuizoteaban: ese hombre te va a pagar mal. Pero para mí como si le estuvieran hablando a la pared. Cuando me dijo: "vámonos" no me hice de la media almendra, ni pedí cura ni juez. Amarré mi maleta y, con la oscurana de la madrugada, me fui con él.

—A las fincas de la costa.

—¿Dónde más va a ir un pobre, patrón? Allá le habían ofrecido el sueño y la dicha y a la mera hora el triste fue a parar a la cárcel porque le acumulaban no sé qué delitos.

—¿Y tú?

—Yo al hospital, porque me entraron los fríos y me vi en las últimas, con la complicación de una criatura que se me malogró. Ah, cómo echaba yo malhayas. Tirada en el suelo, porque ni a catre alcancé; sin quien me arrimara un vaso de agua y hecha un petesec de flaca. Cuando me sacaron del hospital, porque ya no había lugar para tanto enfermo, tenía yo cara de tísica. La gente me corría de miedo. Me aventaban las limosnas desde lejos para que no se les pegara el daño.

—¿Y tu marido?

—No, no era mi marido, niño. Era un hombre, nomás. El salió luego de la cárcel, porque era bueno de labioso, y se fue a buscar fortuna a la frontera. Allá se encontró con unos mis parientes, que le pidieron noticias de mí. Ya es difunta, les contestó. Tiene su cruz con su nombre en el mero panteón de Tapachula. Yo mismo se la merqué, dijo el muy presumido. Se lo creyeron y se quedaron muy conformes. ¡Y que de repente me les voy apareciendo en Comitán! ¡Es un espanto!, gritaban los indizuelos y las mujeres me hacían cruces y hasta los machos se ponían trasijados de miedo.

El ama de llaves se ahogaba de risa al evocar estas imágenes. No atinaba a continuar su relato.

—¿Y pudiste perdonarlo, Cástula?

—Era gente ruda, niño ¿qué iba a saber? Hasta que no me tentaron no se convencieron de que no era yo un alma del otro mundo.

—No hablo de la gente —aclaró don Carlos con un dejo de impaciencia en la voz— sino del hombre, del que te abandonó así.

Doña Cástula se puso seria e hizo un esfuerzo para enfocar la situación desde el punto que don Carlos exigía. Después de reflexionar unos instantes, dijo:

—Yo no era su mujer legítima, patrón. Yo me fui con él huida, sin el consentimiento de nadie y mi nana me maldijo.

—Pero él ha de haberte prometido, ha de haberte jurado. . .

—Ay, patrón, ¡cuándo no es Pascua en diciembre! Yo de boba que me lo fui a creer. En fin, cosas de cuando es uno muchacha.

La mujer suspiró, absolviéndose de sus locuras,

acaso con lástima y con nostalgia del otro.

—¡Sabrá Dios dónde andará ahora y los tragos amargos que habrá tenido que pasar! En cambio yo volví a arrimarme con ustedes y ya no me desampararon.

Doña Cástula hubiera querido contar cómo había ascendido gradualmente, y por sus propios méritos, de salera a cocinera y luego a ama de llaves, a la dueña de todas las confianzas de la señora. Y cuando la señora murió doña Cástula vino a ser la que heredó su puesto. En lo que concernía a autoridad, desde luego, no a apariencias. Pero con disimulo, con tiento, doña Cástula no permitió que nadie más llevara las riendas de la casa. Cuando don Carlos se casó su esposa podía haber sido una rival pero. . .

—¿Qué harías si lo volvieras a ver?

—Si lo volviera a ver. . .

La verdad es que si doña Cástula se hubiera encontrado, de pronto, con aquel hombre, no lo habría reconocido. Sus facciones se le habían borrado de la memoria desde hacía muchos años. Su nombre era como el de cualquier otro. Pero no se atrevía a confesar esto a un señor que desde el momento en que había quedado viudo no había vuelto a quitarse el luto.

Don Carlos llenó de nuevo la taza de café y la contemplaba con fijeza como si esa contemplación fuera a ayudarlo a formular su pregunta.

—Si lo tuvieras en tus manos y pudieras castigarlo

y vengarte ¿qué harías, Cástula?

El ama de llaves retrocedió, espantada.

—Patrón, yo soy mujer. Esas cuestiones de venganza les tocan a los hombres. No a mí.

—Pero fue a ti a quien ofendió, no a tus parientes, que no van a mover un dedo para borrar la afrenta. ¿No te has fijado, grandísima bruta, en lo que ese hombre te hizo? No sólo te dejó tirada en el hospital para que te las averiguaras como Dios te diera a entender, sino que te declaró muerta para que los demás no volvieran a preocuparse por ti. Y tú te quedas tan fresca y no le guardas rencor. . .

Doña Cástula sabía que merecía el reproche pero no supo qué contestar. Rencor. ¿A qué horas podía haberlo sentido? Desde la mañana hasta la noche, trabajo. Cástula, hay que barrer el corredor. Cástula, hay que regar las macetas. Cástula, hay que ir temprano al mercado para escoger bien la carne. Cástula, no remendaste la ropa. Cástula, tienes que ir a atalayar al hombre que vende el carbón ahora que está escaseando. Cástula. . . Cástula. . . Cástula. . . En las noches caía rendida de cansancio, de sueño. . . cuando no había un enfermo que velar.

¿Pero bastaban las excusas para disculparse? Por lo menos, a los ojos de don Carlos, el comportamiento de esa mujer no probaba más que la vileza de su condición. Para él, que era un señor, que se había educado en el extranjero y que había vuelto de allá con un título, el duelo por su viudez era un asunto serio. Y para llevarlo bien no había necesitado convertirse en un haragán. Vigilaba la administración de sus ranchos mejor que muchos otros patrones. No le bastaba con ir en tiempo de hierras o de cosechas sino que estaba siempre el tanto de las nacencias y las mortandades, de las canículas y los aguaceros, de las ventas y las reservas. Y no les permitió nunca a sus mayordomos que se desmandaran con la representación que tenían de su persona ni que le rindieran malas cuentas. También era dueño en Comitán de sitios y de casas y allí no necesitaba de intermediarios para tratar con los inquilinos. Tenía fama de equitativo porque no abusaba en la cuestión de las rentas. Pero tampoco perdonaba jamás una deuda.

Cierto que inmediatamente después de la muerte de Estela don Carlos abandonó la práctica de su profesión, pero eso —según doña Cástula— carecía de importancia. En un rico un título (de médico o de lo que sea) no es más que un adorno y como adorno se debe lucir. Y allí estaba, colgado en la pared ¿pero quién iba a admirarlo? Si don Carlos —y aquí fue donde dio muestra de la delicadeza y la profundidad de sus sentimientos— no volvió a frecuentar a nadie. Se negaba sistemáticamente a recibir visitas, aún las de su suegra que, todavía, de vez en cuando, lo importunaba

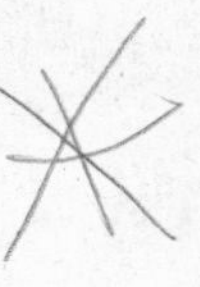

con ellas. Se abstenía de asistir a cualquier clase de tertulia, diversión o fiesta. Y cada vez se encerraba más tiempo en su estudio. Hubo días en que incluso se negó a salir a comer.

Pero por señor que fuera don Carlos y por bien que supiera sentir sus pesares, reflexionaba doña Cástula, estaba empezando a dar muestras de fatiga. Retenía a su ama de llaves junto a él con cualquier pretexto. La revisión de cuentas se lo proporcionaba con facilidad y allí se detenía preguntando por las hortalizas de la temporada, porque a veces se le ocurría algún antojo. O si no insistía en que la habían estafado al cobrarle algún precio para dar a doña Cástula la ocasión de narrar íntegramente sus regateos con el vendedor. Poco a poco sus interlocutores fueron siendo más heterogéneos y don Carlos volvió a estar al tanto de los sucesos del pueblo gracias a su ama de llaves.

Así las conversaciones fueron prolongándose y la confianza borraba a menudo esos límites que siempre se establecen entre el amo y el criado. Pero desde el principio, y tácitamente, ambos se pusieron de acuerdo en no mencionar nunca nada que se refiriera al pasado. ¡Era tan doloroso para don Carlos! ¿Con qué palabras describir la belleza de Estela, el amor del novio, el fausto y la alegría de la boda? ¿Cómo transitar a esa desgracia súbita, cuyo nombre no conoció nadie y, que como un rayo, los abatió la misma noche en que por primera vez los dos quedaron juntos y solos? Y luego los meses de la agonía de Estela, sin consuelo y sin esperanza. Y el desenlace para el que no habría jamás resignación.

Y ahora don Carlos, sin motivo aparente, rompía las fronteras que él mismo había marcado y se aventuraba hacia atrás, con preguntas tan vehementes como si de las respuestas dependiera algo vital.

—Así que no eres rencorosa —concluyó—. Los ángele te premiarán por eso. Te premian ya, de seguro, concediéndote un buen sueño, profundo, largo, sin sobresaltos. ¿No es así?

Cástula, que a veces había escuchado a su amo, pasearse a deshoras de la noche por los corredores —porque padecía de insomnio— inclinó la cabeza, confundida.

—Hay que madrugar, patrón.

—Y yo aquí, entreteniéndote con tonterías. Anda, vete a dormir.

Pero antes de que la mujer atravesara el umbral don Carlos la detuvo todavía con una última recomendación:

—Ordena al semanero que limpie bien las caballerizas y que se aprovisione de zacate y maíz. Mañana van a traer un caballo que acabo de comprar. Es fino. Hay que cuidarlo bien.

Esa noche doña Cástula no pudo dormir su sueño

largo, profundo y sin sobresaltos. A cada instante se le aparecía la figura de Don Carlos, derribado por la fogosidad de un potro indómito. ¡El, que para sus viajes a las haciendas usaba siempre mulas de buen paso! O lo veía alejarse, al galope, de la casa que durante tanto años había sido su refugio, para enfrentarse con esos señores ricos que, en plena borrachera, encendían sus puros con billetes de a cien o que apostaban a una carta, a un dado, a la mujer o a la hija, cuando habían perdido ya todo lo demás.

Doña Cástula despertó confusa. ¿Por qué don Carlos tendría que ir a mezclarse en tales peligros? El no era hombre de cantina ni de burdel como los otros. Era un doctor, aunque ya nadie se acordara de eso. Había estudiado en el extranjero, se había pulido en sus costumbres y lo que debía de frecuentar era el casino, donde las señoritas y los jóvenes jugaban prendas y las madres vigilaban la pureza de las costumbres y los padres discutían de negocios y de política. Al principio, tal vez, les extrañaría la presencia de quien se había aislado durante tanto tiempo. Cuando don Carlos caminara por las calles de Comitán las encerradas apartarían rápidamente los visillos de las ventanas para recordar ese rostro, ese porte. Los transeúntes le cederían el sitio de honor de la acera, como lo merecía, aunque no lo saludaran porque ya no eran capaces de reconocerlo. ¿Y quién iba a estrecharle la mano si

no tenía ni un amigo? Los que trató antes de su viaje a Europa habían seguido rumbos muy distintos y no podrían sostener una conversación con él, tan instruido. Los que encontró a su regreso. . . bueno, a su regreso don Carlos no tuvo ojos más que para Estela ni tiempo más que para enamorarla y para apresurar los preparativos de la boda. Y luego. . .

La primera campanada de la primera misa hizo a doña Cástula ponerse automáticamente de pie. La urgencia de las faenas la apartó de todas las otras preocupaciones.

El caballo resultó un animal noble, con los bríos disminuidos bajo una ruda disciplina, redondo de ancas, y tranquilo, que el tayacán enjaezaba desde muy temprano para que el patrón hiciera ese poco de ejercicio que, según sus propias prescripciones, era indispensable para que su apetito rindiera los honores debidos al desayuno preparado con tanto esmero.

En su itinerario don Carlos se desviaba pronto de las calles céntricas (concurridas a esa hora por indios que bajaban de sus cerros a vender legumbres y utensilios de barro; por criadas que llevaban la olla de nixtamal al molino y por beatas que arrebujaban su devoción y su marchitez en chales de lana negra) y se iba encaminando a las orilladas. Pasaba al trote frente a las casuchas de tejamanil y seguía el caprichoso trazo de las veredas en que las hierbas acechaban el instante de brotar y cubrir la huella recién dejada.

El término de los recorridos de don Carlos solía ser alguna no muy elevada eminencia desde la cual era posible abarcar de una sola mirada el pueblo entero de Comitán.

Mientras el caballo —flojamente atado a cualquier arbusto— ramoneaba a su alrededor, don Carlos se reclinaba contra un tronco y se entregaba a la contemplación de la uniformidad de esos tejados oscurecidos por la lluvia y el tiempo. Sobre la lisura sin asidero de las paredes burdamente encaladas, sobre el rechazo brusco e inapelable de las puertas y sobre la incumplida promesa de revelación de las ventanas, se posaban largamente sus ojos meditativos.

Y así, al través de esta contemplación distante y que no se atrevía a penetrar más allá de la superficie de lo visible, don Carlos iba rescatando de las profundidades de su memoria a ese pueblo que, durante su infancia, se llamó inocencia, avidez, felicidad acaso. Y nostalgia en los años de destierro de su juventud y fervor en el retorno y catástrofe y duelo en la madurez.

Sin embargo, poco a poco, de una manera que al mismo don Carlos fue pasando inadvertida, el duelo comenzó a quebrantarse. Tal vez la grieta se abrió con la primera palabra no indispensable que dirigiera a doña Cástula. Y después la respiración de la angustia fue haciéndose más ancha y regular; la modulación del lamento ensayó otras escalas; la imaginación comenzó a emanciparse de ciertas figuras que hasta entonces lo habían obsesionado, para dar acogimiento a otras, a todas.

Esto era una especie de aprendizaje: volver a familiarizarse, al través de los sentidos, con los objetos de los que estuvo tan distante. Ese árbol, en cuyo ramaje alto y espeso, la atención descubría una gama infinita de verdes; esa piedra, áspera al tacto, desafiando (¿a quién?) con sus aristas, caída al azar; esa leve ondulación del terreno en que hubiera creído reconocerse una voluntad de la naturaleza a mostrar al hombre benevolencias y hospitalidad.

Don Carlos apreciaba cada vez más sus progresos de convaleciente. Las cosas ya no sólo no le eran hostiles, pero ni siquiera extrañas. Constituían señales amistosas, presencias cordiales. Iba a su encuentro con un placer anticipado y las disfrutaba plenamente.

Faltaba la parte más difícil del tránsito: la que lo conduciría de nuevo al mundo de lo humano. Comenzó por esforzarse en elegir sus caminos sin tomar en consideración el riesgo del encuentro con algún antiguo conocido. La alternativa de detenerse a saludarlo o proseguir sin volver el rostro ya no lo atormentó más. Si el otro era comunicativo y amable ¿por qué don Carlos no iba a corresponder a esa amabilidad? Y si no lo era ¿por qué empeñarse en quebrar la huraña ajena cuando era mucho menos sólida que la propia?

Ah, ese señorío de sí mismo lo saboreaba el viudo después de muchos años de vulnerabilidad. El encierro había sido su respuesta a situaciones que le eran intolerables. La proximidad de los demás despertaba en él una alarma que ningún razonamiento podía reducir. Temía su compasión tanto como desdeñaba su curiosidad y no habría perdonado su indiferencia. Lo asqueaba ese guiño cómplice con que los hombres querían hacerle saber que estaban en el secreto de las mañas que se daba para sobrellevar su condición de solitario. Porque no era concebible que alguien, como don Carlos, en la plenitud de la edad y de la fuerza viril, guardase una continencia a la que ni aún los sacerdotes, tascando el freno de una religión de que él carecía, eran siempre fieles. Le irritaba esa inoportuna solicitud de las matronas que se desvivían por poner fin a la irregularidad de su situación proporcionándole lo que la naturaleza pide y la ley de Dios manda: una compañera. Sí, esa araña, inmóvil en el centro de la tela, esa hija, esa sobrina, esa recogida, que reunía en su persona todas las virtudes y se embellecía de todos los adornos y cuya única misión en el mundo consistía en hacer feliz a don Carlos, acogedora su casa y numerosa su prole.

Mas he aquí que, de pronto, don Carlos había cesado de temer los encuentros y de rehuir las asechanzas.

Los sentimientos de los otros no tenían por qué determinar sus propios estados de ánimo. Y si los otros se forjaban planes contando con él, allá ellos. Don Carlos era libre y dueño de su destino.

Pero, aunque apto ya para la sociabilidad, don Carlos no estaba tan menesteroso de ella como para ir en su busca. El tiempo (lo había aprendido a lo largo de todos sus años de soledad y de meditación) es el que hace madurar las cosas. Resulta inútil, fatigoso, contraproducente, precipitarse, correr al encuentro de acontecimientos que apenas están germinando y cuyo proceso de gestación puede malograrse pero no se puede apresurar.

Su contacto con los demás fue, sin embargo, muy distinto de como lo había supuesto o quizá planeado. Sucedió que una mañana vio de pronto interrumpidas sus reflexiones por la aparición de un grupo de niños, el mayor de los cuales no alcanzaría los doce años. Venían corriendo, gritando, empujándose. La presencia de una persona mayor los paralizó durante un segundo. Pero el gesto condescendiente de don Carlos por una parte y la superioridad numérica de los niños por otra, los lanzó de nuevo a esa especie de frenesí colectivo que, seguramente, obedecía a alguna regla secreta que ningún extraño acertaría a desentrañar.

Eran niños descalzos, harapientos sucios. Lanzaban al aire exclamaciones groseras y ruidos procaces. Al principio, sin objetivo. Paulatinamente toda su actividad fue concentrándose alrededor de alguien: el más pequeño, el más débil, el más pobre, quien de pronto se convirtió en la encarnación del enemigo.

Tenía un apodo, naturalmente, y al fragor de la lucha se le improvisaron otros. Cada hallazgo era celebrado con grandes risas que enardecían al grupo y lo incitaban a nuevas audacias, así como empavorecían al pequeño.

Don Carlos observaba los hechos con una leve chispa de interés en los ojos. Las acciones y las reacciones de los niños, por su espontaneidad amoral, le recordaban demasiado las de los animales, a los que no amaba. Pero cierto elemento de peligro, que se olfateaba en el aire, lo mantenía atento a las incidencias de un juego en el que los insultos no hacían más que preludiar una acción más violenta. Que fue el lanzamiento de proyectiles. Cáscaras de naranja, huesos de durazno, piedras. El blanco giraba sin dirección, acosado por todas partes y, trataba de protegerse cubriéndose el rostro con el antebrazo. Hasta que una piedra se le incrustó en la sien y lo derribó por tierra, sangrando.

Los niños lo contemplaron un instante, estupefactos, y alguno hasta con una mueca de despecho como si el caído hubiera traicionado las reglas del juego. Pero en cuanto se dieron cuenta cabal de que había sucedido algo cuya magnitud escapaba a su comprensión, se entregaron desordenadamente a la fuga.

Don Carlos los vio alejarse sin hacer ningún intento para detenerlos ni gritar ningún denuesto para reprocharlos. Sin prisa, sin alarma, se puso de pie y fue aproximándose al herido con una especie de automatismo profesional que resucitaba, intacto, después de muchos años de haber cesado de funcionar.

El examen de la herida le proporcionó la certidumbre de que no era grave aunque sí dolorosa. Con lo que llevaba a mano —un pañuelo— improvisó un vendaje para contener la hemorragia. El niño se dejaba curar con los mismos ojos dilatados de espanto con que antes se había dejado agredir.

Don Carlos hechó de menos no haber llevado consigo un dulce, una golosina para consolar al pequeño. No sabía tampoco de qué manera acercarce a él, ganar su confianza. Hizo un esfuerzo para dar a su voz un dejo de ternura y preguntó:

—¿Vives muy lejos de aquí?

El niño señaló con la mano el caserío más próximo. Al mismo tiempo comenzó a disponerse a marchar, pero don Carlos lo detuvo.

—No, yo te acompaño. Para explicarle a tu madre lo que ha sucedido. Por que si te ve llegar así se va a asustar.

—Ella también me pega.

En la frase del niño —concentrada de propósitos futuros de venganza— no se trasparentaba más que la impotencia a que lo reducían las circunstancias momentáneas. En cuanto creciera...

Don Carlos lo tomó de la mano y juntos llegaron hasta un patio de tierra apisonada en que una mujer —rodeada de chiquillos de varias edades— escarmenaba lana, sentada en un petate.

Ver a los recién llegados, abandonar la tarea y soltar el grito, fue todo uno. Inmediatamente después acudía el vecindario que cuchicheaba entre sí, haciendo correr las versiones más disímbolas sobre los sucesos. De tantas hipótesis sólo quedaba patente un hecho: la bondad de don Carlos y su pericia: Aunque esto último no fuera propiamente un mérito. Era doctor titulado, podía curar no sólo un rasguño leve como el del muchachito sino también enfermedades internas, de las que nacen solas. Como la de ese infeliz Enrique Liévano, que desde hacía meses estaba tirado en la cama sin poder moverse. ¿No querría el doctorcito hacer la caridad de darle aunque fuera una mirada? Su hermana (porque, además, Enrique era huérfano) se mantenía planchando ajeno y no le iba a poder pagar la consulta. Pero ya que estaba tan cerca —vivía unas cuantas casas más allá— ¿qué le costaba? Por el alma de quien más quisiera...

Don Carlos no sabía cómo detener aquellas súplicas entrecortadas, vehementes, colectivas. ¿Cómo explicarles que hacía siglos que no pasaba los ojos sobre un texto de medicina que había olvidado hasta la técnica más rudimentaria de la auscultación y del diagnóstico, que no traía consigo ningún aparato que pudiera auxiliarlo? Hizo un gesto de asentimiento y se dejó llevar.

Lo primero que repugnó a don Carlos (al trasponer el umbral de una estancia reducidísima, pobremente iluminada por una ventana, mal protegida de la intemperie por las ralas junturas del tejamanil) fue el olor. Olor de cuerpo inerte, abandonado a sus funciones; de ungüentos y emplastos no removidos; de inhalaciones sucesivas, ninguna de las cuales lograba anular el vaho de la anterior.

Don Carlos habría querido retroceder, buscar de nuevo el aire incontaminado del campo, pero la puerta de la casucha estaba bloqueada de curiosos. Y cuando intentó moverse advirtió que una mano estaba asida firmemente a su brazo, para no permitirle escapar, para conducirlo al lecho del doliente: era la mano de una de esas mujeres a quienes las desgracias se les coagulan en la cara como la forma extrema de la fealdad.

El enfermo yacía sobre un camastro, esquelético, envuelto en una maltratada y sucia cobija de lana y con la cabeza reclinada sobre un envoltorio de ropa que fungía de cojín. Sus pómulos estaban arrebolados por la fiebre y en sus ojos hundidos brillaba ese resplandor último con que las hogueras se despiden antes de extinguirse.

La presencia de un extraño y la intrusión de tantos vecinos turbó al enfermo. Quiso hacer algo: erguirse, tal vez ocultarse, pero su movimiento se convirtió en un acceso de tos, de esa tos inútil, fatigada de repetirse a sí misma, sin consuelo, de los tuberculosos.

Don Carlos no temía el contagio y le parecía extemporáneo, en el grado de desarrollo de la enfermedad, prevenir de él a quienes hasta entonces habían rodeado, sin ninguna precaución, a Enrique. Los más débiles ya habrían sucumbido hacía muchos meses y en cuanto a los demás, evidentemente, sabían defenderse solos.

La mano que hasta entonces había estado asida al brazo de don Carlos (y que era la de la hermana de Enrique, Carmen) únicamente lo soltó para aproximar una silla desde la cual el médico pudiera observar al enfermo, tomarle el pulso, escuchar su respiración, cumplir, en fin, con todos los pasos del ritual sin los cuales ningún alivio es posible.

Don Carlos pidió a la mujer que hiciera salir a los intrusos y que ella misma se alejara, pero a una distancia desde la que permaneciese atenta a cualquier llamado.

Cuando don Carlos se quedó solo y frente a frente con Enrique no supo cómo iniciar el interrogatorio. En la Facultad de Medicina había aprendido las fórmulas precisas pero las había olvidado por falta de práctica y hoy su memoria permanecía inerte ante la emergencia, paralizada acaso por el convencimiento de la nulidad de cualquier esfuerzo.

¿Qué podía decirle Enrique que don Carlos no fuera capaz de suponer? A juzgar por lo avanzado del proceso de la enfermedad, debería haber presentado los primeros síntomas reveladores meses atrás. Las causas no eran difíciles de adivinar: hambre, trabajo agotador, paludismo. En cuanto al tratamiento ¿para qué pensar en él? Ninguno de los dos hospitales comitecos (el civil y el que cuidaban las monjas) contaba con una sala de infecciosos. Quedaba el recurso de un viaje a México. ¿Pero quién lo costearía? Don Carlos, en un arrebato de generosidad, podía responder que él. Pero el viaje no serviría más que para acelerar el fin.

Sin embargo, don Carlos y Enrique hablaron largamente. Nada apasiona tanto a un enfermo como describir sus sensaciones y más cuando el que escucha es un iniciado, capaz de comprender lo que los sanos ignoran y ni siquiera imaginan. Precipitadamente Enrique acumulaba detalles, aventuraba suposiciones, quería convertir a su interlocutor en depositario de su secreto para que el otro, en reciprocidad, le entregara la salud.

Don Carlos no se limitaba a escuchar pasivamente un relato en el que iban apareciendo tantas viejas figuras conocidas de sus tiempos de estudiante: la euforia, precursora y compañera inseparable de las primeras etapas del mal; la temperatura caprichosa y tenaz; el sudor nocturno, como del que despierta de una pesadilla. Y la tos. Impetuosa primero, desgarradora. Y después atenuada, pero cumpliendo con su pertinacia la misión de no hacer olvidar ni un instante al enfermo su condición de enfermo. Recordándole que le estaba prohibido agitarse, que debería de tener más cuidado al tragar, que el aire era un don escaso que cualquiera, en cualquier momento le podía arrebatar.

Don Carlos dio a estas descripciones que, por vívidas eran menos torpes de lo que podía esperarse de la rusticidad de Enrique, los nombres técnicos, lo cual equivalía a lazar al novillo cerrero y abatirlo y marcarlo con el hierro del amo. Enrique asistía, maravillado, a esta operación, repetía esas palabras mágicas que conferían a su padecimiento un prestigio de cosa importante sobre la que los ignaros harían bien en detenerse y meditar.

La despedida no pudo hacerse sin la promesa, por parte de don Carlos, de volver al día siguiente. Y provisto de aparatos, de medicinas, no como hoy, desarmado de su parafernalia y de improviso.

Carmen ayudó al doctor a montar en su caballo deteniéndole el estribo, sin hacer una sola pregunta, sin exigir la menor esperanza. Lo único que le hubiera interesado saber era el plazo: cuando terminaría la historia. Porque estaba cansada de mirar siempre ante sí un rostro cada vez más consumido, más devastado. Porque este inválido ataba los pasos de los sanos como un cordel corto ata el vuelo de un pájaro. Porque ¿cómo podía disponer de su vida, sí, su vida que se le estaba yendo como agua entre las manos, su vida que no desembocaba ni en el matrimonio ni en las devociones de la Iglesia, ni en el servicio en una casa de señores, ni en el viaje a México, ni en meterse de puta aunque fuera, porque antes tenía la obligación de cumplir con sus deberes de hermana?

Sin una frase, ni aún la formularia y mecánica de gratitud, Carmen miró partir a don Carlos, con envidia de no ser ella la que se alejaba, a paso rápido, del tugurio miserable, del hombre sin salvación.

Y lo miró partir con la certidumbre, además, de que si don Carlos era un hombre listo —y debía de serlo, pues los señores siempre lo son— no volvería nunca.

Pero Carmen se equivocó. Don Carlos volvió al día siguiente y al otro y al otro. Traía en su maletín (que ahora había llegado a constituirse en el complemento de su persona) algunas sustancias que calmaban el ahogo, la fatiga, los dolores de Enrique. Y para no darle la oportunidad de hablar, de malgastar un aliento que era cada vez más trabajoso, don Carlos tomaba por su cuenta la conversación. Le contaba sus viajes al extranjero, sus aventuras de estudiante, su encarnizada aplicación para comprender las lecciones. Los primeros asombros, inolvidables, al encontrar las verdades de los libros trasplantadas a los hechos; la pasión de cazador con que se lanzaba tras la pista del culpable del desorden en el funcionamiento de esa maquinaria, complejísima y perfecta, que es el cuerpo; la frialdad con que, una vez realizado el descubrimiento, escogía los medios más rápidos y eficaces para eliminar a su enemigo; la satisfacción del triunfo que, más que de la ciencia, hubiera preferido don Carlos llamar de la justicia.

A veces, llevado de la vehemencia de su peroración, el médico no advertía que Enrique era incapaz de seguirlo y de comprenderlo. Tardó también en darse cuenta de que el interés del enfermo disminuía al parejo que sus fuerzas. De allí en adelante las visitas de don Carlos eran silenciosas y, con el pretexto de vigilar el pulso del moribundo, tomaba una de sus manos entre las suyas, como si quisiera comunicarle —al través de ese contacto, de la leve presión de los dedos, su solidaridad. Porque tal vez de todo lo que don Carlos aprendió como médico lo único que no olvidaría nunca es que el agonizante quiere pedir auxilio a los que lo rodean y de quienes se aleja más y más, inexorablemente; y que teme este apartamiento definitivo de los otros más que su entrada en la sombra.

A los últimos momentos de Enrique acudió, por deferencia, un sacerdote del Templo Mayor: don Evaristo Trejo. Lo oyó en confesión, lo absolvió de sus pecados y le ungió los pies con los santos óleos.

Mientras se cumplía esta ceremonia que, por solemne, exigía la soledad, Carmen gritaba su desesperación a voz en cuello en el patio de la casa. Las vecinas, solícitas le acercaban los pocillos de peltre con agua de brasa e infusiones de tila que ella no permitía que llegaran hasta sus labios y las derramaba en el suelo a manotazos. Don Carlos tuvo que inyectarle un calmante que la postró en un sueño profundo, por lo cual todos los trámites del encargo del ataúd (y de su liquidación, naturalmente) y de la presidencia del velorio y de entierro, recayeron sobre los hombros del médico, único hombre de respeto entre aquella turbamulta de curiosos, de vecinos que habían encontrado un pretexto respetable para emborracharse, de vecinas que desahogaban impunemente su histeria y de niños libres de vigilancia.

Sobre la fosa húmeda de tierra recién apisonada, cayeron algunos manojos de flores corrientes, de las que se arrancan al pasar junto a las bardas. Y también las aspersiones de agua bendita de don Evaristo.

Cuando los asistentes se hubieron dispersado, el doctor Román dio la mano al sacerdote en señal de gusto por haberlo conocido, de gratitud porque le hubiese ayudado a sobrellevar tareas tan penosas y de despedida. Pero don Evaristo, sin rehusar el gesto, no aceptó la última significación.

—¿Va usted a su casa, doctor? Podemos hacer un trecho de camino juntos. Yo vivo a unas cuantas cuadras... Digo, si usted no tiene inconveniente en que lo acompañe.

—Al contrario. Si yo no me atreví antes a hacerle esa proposición fue porque he perdido a tal punto el hábito de la sociabilidad...

—Nadie lo hubiera dicho al verlo a usted desempeñarse con tanto aplomo en unos acontecimientos que son ya, de por sí, difíciles.

—Son mi especialidad, padre. Si usted tiene presente un hecho ya remoto —y que, por lo demás, no existe ninguna razón particular para que lo hubiera impresionado—, me refiero a la muerte de mi esposa, recordará que no hice un mal papel.

Se detuvieron. Don Evaristo desconcertado por la crudeza y la superfluidad del comentario. Don Carlos, con la vista fija en el suelo, donde la punta metálica de su bastón se empeñaba en abrir un pequeño agujero. Mientras mantuvo inclinado el rostro procuró borrar de él toda expresión.

—Perdóneme usted el mal gusto de la broma. Cuando uno se habitúa a hablar solo dice cosas que escandalizan a los demás.

Habían reanudado la marcha.

—¿Qué clase de cosas cree usted que oigo en el confesionario? Precisamente esas, las que la gente se dice a sí misma y calla ante los demás. Yo también soy un especialista, si se me permite el término. Muchos han comparado nuestros respectivos oficios, don Carlos.

—Que yo sepa no ejerzo ninguno.

—¿Cómo se llama entonces a lo que hizo usted por Enrique?

—Depende. Si vamos a juzgar por los resultados no puede llamarse una curación.

—¿Qué podía usted hacer, más de lo que hizo, por un hombre desahuciado? Pero se equivoca usted, don Carlos: ha habido una curación: la suya. Está usted a salvo ya de su aislamiento, de su misantropía. Porque, o mucho me equivoco, o la gente de este barrio, todos los que han visto de cerca su abnegación y su caridad, ya no van a desampararlo nunca.

Don Carlos alzó los hombros con un gesto fatalista.

—Eso me temo. El zaguán de mi casa está intransitable. Porque de día y de noche lo ocupan criaturas con lombrices, mujeres grávidas, viejos reumáticos.

—Y como no tienen con que pagarle —como a mí— todos han de llegar con "un bocado para el hoyito de su muela".

—Yo me niego a aceptarlo.

—Yo también lo hice, al principio. Hasta que entendí que eso les ofendía. Ahora el problema es de mi cocinera que ya no sabe de qué modo guisar los pollos para que todavía me resulten soportables.

—La mía, doña Cástula, que ha visto mundo y que es leída y escrebida, conoce recetas que quizá le resulten novedosas. ¿Por qué no corre usted el riesgo y viene a cenar conmigo mañana en la noche?

Fue de esta manera tan casual como don Evaristo recibió y aceptó la primera invitación (a la que habrían de seguir muchas otras, hasta llegar a constituir un hábito que las hizo innecesarias) para visitar la casa de don Carlos. Casa ya no solitaria como antes sino asaltada incesantemente por menesterosos —que esparcían suciedad, que mostraban llagas, que aprovechaban el menor descuido para robar algo— y de la que doña Cástula hubiera dimitido si no hubiese visto entrar, por la misma puerta que daba acceso a los otros, la presencia sagrada del sacerdote.

La práctica de su ministerio había proporcionado a don Evaristo la experiencia suficiente como para no dejarse guiar por la primera impresión. Había pensado muchas veces en don Carlos Román con perplejidad y se había aventurado, en su fuero interno, a hacer conjeturas para explicarse ese carácter tan extraño. Pero, a diferencia de sus coterráneos, el azar lo aproximó al objeto de su curiosidad lo suficiente como para poder observarlo con detenimiento.

Hasta ahora don Evaristo no conocía más que una de las facetas del doctor Román: la que había mostrado en su relación con Enrique Liévano y la actitud que asumía con todos los que ahora acudían a él en busca de favor. Era pródigo de su tiempo, de su ciencia, de su dinero. Pero algo en el interior del padre Trejo se negaba a calificarlo como generoso. Tal vez el hecho de que sus acciones no se derivaban del imperativo moral cristiano; tal vez el resultado de una frecuentación casi diaria que mostraba aspectos del modo de ser de don Carlos que, si no eran contradictorios con lo que comúnmente se reconoce como generosidad, por lo menos resultaban ambiguos: ciertas expresiones mordaces, ciertas burlas crueles, obligaban al sacerdote a mantener su juicio en suspenso. Un juicio que, por lo demás, nada le urgía a pronunciar.

Una noche, después de una cena en la que doña Cástula se había esmerado especialmente, mezclando con sabiduría los manjares y los vinos y en la que salió a relucir una antigua vajilla con monogramas dorados, un juego de copas de cristal finísimo y un mantel del más blanco lino, el padre Trejo no pudo menos que comentar:

—Si alguien me hubiera dicho que usted es un sibarita, don Carlos, no lo habría creído ni bajo juramento. Pero tengo que rendirme ante la evidencia. Sabe usted apreciar las cosas buenas que nos proporciona la vida. Y no lo censuro. ¡Son tan pocas!

—Pero se equivoca usted, don Evaristo. No se trata de que yo sea un buen catador ni mucho menos un candidato al infierno por haber cometido el pecado capital de la gula. Yo puedo renunciar a lo que el vulgo llama placeres de la mesa (y de otros muebles, si usted me permite ser más explícito) sin hacer, ya no digamos un sacrificio, pero ni siquiera el menor esfuerzo.

—¿Entonces?

—La clave está en otra parte. Yo soy un hombre que se rige estrictamente por la lógica. Para que entienda usted las consecuencias tenemos que remontarnos a las causas. Añada usted a sus obervaciones que se han hecho algunas reformas en el comedor.

Era verdad. Se había renovado el papel tapiz de las paredes y el techo se había enriquecido con un artesonado de maderas preciosas. En uno de los ángulos de la habitación, en un chimenea rústicamente labrada, ardía un fuego poderoso y alegre.

—Va usted a perdonarme, don Carlos, pero del milagro del que primero me voy a pasmar es el de la prontitud con que se ha llevado a cabo la obra. Conozco a los operarios de Comitán y no son más diligentes que los de la viña evangélica.

—La explicación es muy sencilla: a esos operarios les ofrecí aumentarles el sueldo proporcionalmente a la rapidez con que terminaran el trabajo. Y además doña Cástula no les quitó los ojos de encima ni un segundo. El resultado es que mientras usted hacía una de esas giras por los alrededores de su parroquia, la sorpresa ya estaba lista.

—¿Y el segundo milagro es igualmente fácil de explicar?

—Yo no veo ningún otro milagro.

—Que usted se haya decidido a emprender la obra.

—Ah, el motivo va usted a entenderlo muy bien. Se trata de doña Cástula. En los últimos tiempos, con esto de que he vuelto a fungir como médico, ella se ha disgustado mucho. Me ha abrumado de reproches, todos ellos razonables que, como la prudencia aconseja, no escuché. Pero cuando comenzó a quejarse de que se sentía mal, de que le convendría una temporada de baños en las aguas termales de Uninajab, de que ya era tiempo de retirarse a vivir con su familia, etc., comprendí que el peligro era grave. Me estaba amenazando nada menos que con irse. Yo, por una parte, no podía ni darme por aludido de esas amenazas ni mucho menos descender a la súplica de que no me abandonara. Prometer un aumento de sueldo habría sido una imperdonable falta de tacto. Tuve que proceder con mayor sutileza y me desvelé muchas noches pensando: ¿qué es lo que proporcionaría a doña Cástula una satisfacción verdadera, profunda y, sobre todo, durable? Después de devanarme los sesos, lo comprendí: que la casa (que, a fin de cuentas, es más suya que mía) volviera a ser lo que fue en sus buenos tiempos. Que se remozara, que resplandecieran de nuevo las galas que mis antepasados fueron acumulando y transmitiendo de generación en generación y a las que yo, además de no añadir nada, no les concedía siquiera la beligerancia de ser útiles. Y, en fin, que ella misma pudiera ostentar sus dotes de anfitriona.

La larga exposición de motivos hacía sonreir suavemente al sacerdote y don Carlos la remató con habilidad.

—Lo único en lo que yo me he reservado el ejercicio pleno de mi voluntad, es en la elección del huésped: usted. ¡A su salud, don Evaristo!

Alzaron las copas y bebieron. El padre Trejo reía ahora de buena gana.

—Si me hubiera usted dejado expuesto a mi imaginación habría yo atribuido todos estos cambios a móviles más ¿cómo diría yo? más elevados. Como los que le supuse, al principio, en el caso de Enrique Liévano. Entonces creí que buscaba usted acercarse a Dios por medio de la caridad.

Aunque serio, el tono de don Carlos no fue por eso menos cordial.

—En el terreno de lo religioso siempre hemos sido muy francos, padre. Usted no ignora que yo respeto a Dios, que lo admiro y que, si alguna vez lo encuentro, lo saludaré con todo el respeto que su alto rango merece. Pero mientras tanto prefiero no entrometerme en sus asuntos, que han de ser mucho más importantes y complicados que los míos.

—Los cuales se reducen a quedar bien con su ama de llaves. Yo, ingenuo de mí, habría jurado que detrás de todas las metamorfosis que han sufrido usted y su casa en los últimos tiempos, había una mujer.

—Doña Cástula es una mujer, padre, aunque por su edad o por su condición usted se niegue a concederle el título con que la favoreció la Madre Naturaleza.

—No bromeemos, doctor. Al decir una mujer yo quise decir alguien a quien su corazón hubiera elegido...

—¿Para qué?

Don Evaristo sostuvo la copa entre las manos, pensativo como si dudara entre hablar o no. Por fin, dijo abruptamente.

—Para unirse en el Santo Sacramento...

Pero don Carlos hizo un gesto para impedirle terminar la frase.

—Por favor, padre, no usemos tecnicismos, que los de un médico son mucho más exactos y más groseros. Hablemos en lenguaje corriente. ¿Usted me creyó dispuesto a volverme a casar?

—¿Y por qué no? La Escritura dice que no es bueno que el hombre esté solo.

—Y la vox populi, que es la vox Dei, afirma que más vale estar solo que mal acompañado. Yo me atengo, no a la Escritura, sino al refrán.

—¿Y por qué habría de ser mala la compañía? La virtud de las mujeres comitecas es proverbial.

—¿Y usted, padre, que las conoce a fondo —digo, porque las rejas del confesionario son el cedazo al través del cual se filtran todos los secretos— usted, pondría su mano en el fuego por ellas?

La respuesta fue contundente.

—Sí.

—Bien. Pues brindemos porque esa virtud se conserve y se conserven quienes saben apreciarla.

—Usted no se incluye entre ellos ¿verdad?

—Yo no soy un experto en la materia. En cuanto a mujeres podría decirse que estoy fuera de combate desde hace muchos años.

Don Evaristo creyó oportuno guardar silencio ante una frase que, suponía, estaba aludiendo a un pesar que aún exigía miramientos. Aunque el tono con que la había pronunciado don Carlos dejaba translucir otras implicaciones no fácilmente definibles. Fue el mismo don Carlos quien aclaró:

—A mi edad... y con la fama de ogro que he de tener... No, verdaderamente hay cosas en las que ya no se tiene derecho a pensar.

A don Evaristo le pareció prematuro contradecir a

su interlocutor. Unicamente habría logrado fortalecer la posición que adoptaba ¿o que afectaba haber adoptado? Ya se averiguaría, en el curso de ulteriores conversaciones.

Aunque, claro, don Evaristo no propondría el tema. A fuerza de pasividad obligó a don Carlos a que se refiriera nuevamente a su viudez y lo hizo como si se tratara de un fenómeno digno de mencionarse sólo por los extremos de desolación a que lo había conducido y por el largo término que se había mantenido incólume.

—Con usted voy a ser sincero, padre. Lo que me paralizó durante estos años, hasta el grado de encerrarme y no ver a nadie, no fue el dolor. Por lo menos no fue nada más el dolor, aunque ese elemento también contara. Y bastante. Pero había algo contra lo que mi razón se estrellaba día y noche: el absurdo. Pues si usted lo considera con atención, mi historia no tiene ni pies ni cabeza. Amo a alguien y en el momento mismo en que voy a realizar ese amor (lo que equivaldría para usted, aunque lo considere blasfemo, a alcanzar el cielo) lo pierdo para siempre. ¿Por qué? ¿Por qué? Si el amor era tan intenso debía haber sido posible. Y si no era posible... Yo no he buscado la soledad todos estos años para llorar a mis anchas ni para rasgarme las vestiduras y cubrirme la cabeza de ceniza, como muchos creyeron. Yo lo único que he hecho es tratar de comprender.

—Ahí radica su error. Porque los caminos de la Providencia son incomprensibles.

—¡Basta! Recuerde, don Evaristo, que yo soy hombre de visión limitada, de móviles pequeños. Recuerde el incidente del arreglo del comedor. Para entender mi desgracia yo no iba a remontarme a las causas primeras. No, yo iba a reconstruir, con la ayuda de la memoria, todos los elementos que intervinieron en la situación. Yo iba a ordenarlos y a volverlos a ordenar hasta que cada uno de ellos quedara en el sitio que le correspondía, como las piezas de un rompecabezas, y hasta que la totalidad adquiriera ante mis ojos una coherencia y un sentido. Porque, ya se lo he dicho más de una vez, padre: mi pasión dominante es la lógica.

—¿Y le sirvió de algo en este caso? ¿De consuelo siquiera?

—De mucho más. Aunque no se lo debo todo a ella, sino también a la tenacidad, a la paciencia. Acabé por liberarme de una obsesión para la que no contaba el tiempo. Ahora, que la obsesión ha desaparecido, tengo que admitir que es demasiado tarde.

—¿Cuántos años tiene usted?

—Treinta y nueve. Y una excelente salud. Pero no se trata de eso sino de los estragos que he padecido por dentro. Desde ese punto de vista soy un hombre acabado.

—No da usted esa impresión. Con quienes vienen a consultarle despliega usted una solicitud que no se explicaría más que como fruto del afecto... o de la vanidad.

—Desde hace algunos meses padezco un trastorno de la tiroides que me exacerba la necesidad de permanecer activo.

—Moral, fisiología, que más da. El asunto es que ese apetito de actividad, que se manifiesta como simpatía, puede usted aplicarlo a otro tipo de relaciones que no sean las de médico y enfermo.

—¿Y nuestra amistad, padre?

—No es satisfactoria, en primer lugar, porque es exclusiva y porque yo no soy un hombre profano. Y luego porque hay otro grado más completo de comunión espiritual y física.

—Supongo que se refiere usted al amor.

—Al matrimonio, para usar un término que abarque, a la vez lo moral y lo fisiológico. Quiero acorralarlo.

—¡Me declaro vencido! Pero deme usted una tregua. La idea, la mera idea de... me parece todavía tan intolerable, tan indigerible...

Porque era una idea abstracta. Don Evaristo sabía que la mejor manera de vencer las resistencias de su amigo no era argumentando sino poniendo ante sus ojos nombres, figuras, encarnaciones vivas, en fin, de la posibilidad.

Don Evaristo —a quien la gracia divina había preservado hasta entonces, y sin que él se esforzase por merecerlo, de la concupiscencia de los ojos— canalizó desde su niñez de huérfano confiado a la vigilancia anónima del Seminario, su ideal de la femineidad en la Virgen María bajo la advocación del Perpetuo Socorro. Su pureza, cuyo resplandor era la hermosura, estaba condicionada por su inaccesibilidad. Era fácil conmoverse, hasta las lágrimas, ante la mera contemplación de sus perfecciones; era fácil guardarle fidelidad, sobre todo si se tenía en cuenta que a don Evaristo no lo rodeaban más mujeres de carne y hueso que parientes más o menos próximas, más o menos impertinentes con sus ocurrencias; o congregantes más o menos asiduas; o penitentes más o menos sinceras. Y, del otro lado de la barricada (otro lado que don Evaristo jamás se atrevería a traspasar por no poner en peligro su salvación eterna) estaban las discípulas de la serpiente, las aliadas de Satanás, las poseedoras de todos los secretos del mal.

El resultado de estos antecedentes y estas limitaciones era que si alguien, de pronto, le hubiera pedido a don Evaristo la descripción de las facciones de alguna de las ovejas de su rebaño, la correspondencia entre un hombre y un cuerpo, el señalamiento de las peculiaridades de una personalidad, no habría sabido qué responder. Fue gracias a su propósito de encontrar una esposa para don Carlos Román que el padre Trejo comenzó a detener la mirada en los rasgos de las muchachas en edad de merecer, la atención en sus palabras, sus vestidos, sus actitudes, la memoria en los comentarios que de ellas hacían los demás. Supo así —con no menos sorpresa que conmiseración— de esa lucha desesperada que libraban las solteras(desde el momento mismo de su aparición en sociedad) contra los años, cuya cuenta llevaban los demás, inexorablemente; escuchó en secreto las confidencias acerca de las taras hereditarias de las familias; indagó discretamente el estado de las fortunas y el monto de las dotes. Y después de efectuar la selección más rigurosa don Evaristo se decidió, por fin, a mostrar a don Carlos sus cartas de triunfo.

La sesión tuvo lugar no en el comedor, ni en el estudio (porque ni los albañiles ni los carpinteros habían terminado allí su labor) sino en la sala, cuyo ajuar había sido despojado de las fundas protectoras y cuyos espejos, sin el crespón de luto que los había ensombrecido durante tantos años, duplicaba la delicadeza de los adornos —porcelana, oro, marfil; la minuciosidad del tallado en las maderas; y el severo claroscuro de los cuadros desde cuya profundidad asomaban los rostros de hombres enérgicos, de damas recatadas, de niños circunspectos, para contemplar un presente fuera de cuyos vaivenes se habían colocado.

El nombre de la primera candidato que don Evaristo presentó a don Carlos fue el de Amalia Suasnávar. Suplía su falta de abolengo y la escasez de sus recursos con la abnegación de un carácter templado en la adversidad. Su conducta, en ocasión de la penosa y larga enfermedad de su madre, demostró con cuánta paciencia, con cuánta dulzura y con cuánta alegría interior puede un ser, cuya conciencia moral ejerce pleno imperio sobre el egoísmo humano, sobrellevar una cruz.

Don Carlos rindió el merecido tributo admirativo a la señorita Suasnávar pero opuso algunos reparos. Nimios, desde luego. ¿Pero por qué iba a conformarse con lo que sólo es satisfactorio a medias alguien que tiene la facultad de elegir la perfección total? La señorita Suasnávar, si don Carlos no había sido mal informado, llevaba su humildad hasta el punto de haber permitido que le arrebatasen la herencia unos hermanos que sólo se presentaron a la hora de la partición; la señorita Suasnávar extremaba su modestia hasta el grado de vestirse como un adefesio y su timidez hasta el extremo de no intervenir en las conversaciones más que para decir disparates. ¿No era acaso la misma que se había hecho célebre en el novenario de su difunta madre, al quejarse ante la concurrencia de padecer un insomnio incoercible y de que cuando, por una especie de milagro, lograba momentáneamente conciliar el sueño éste era reparador, tanto que despertaba de inmediato y llena de angustia? Cuando se aclaró lo que la señorita Suasnávar quiso decir con lo de reparador se supo que tenía la más firme convicción de que lo único capaz de reparar en el mundo era un potro.

Al no poder replicar, don Evaristo pasó al punto número dos: Soledad Armendáriz, a quien todos llamaban Cholita, por un cariño que suscitaba tan espontánea cuanto inmediatamente entre quienes tenían el privilegio de tratarla. Era muy joven, claro, casi una niña, pero esto mismo representaba para don Carlos la ventaja de poder moldearla y hacerla a su gusto. En cuanto a la bondad innata de su índole se hacía patente en el hecho de que siendo su belleza justamente celebrada por propios y extraños, no sólo no se envanecía de ella sino que ni siquiera procuraba realzarla con afeites ni exhibirla en paseos y fiestas. Antes al contrario, procuraba no llamar la atención y si pecaba de exageración en algo era en la decencia de su arreglo y de sus actitudes. Tanto que sus allegados llegaron incluso a sospechar alguna inclinación mística que, según la experiencia ha comprobado, resultaba muy buena ingrediente para lograr la armonía conyugal.

Cholita Armendáriz... Cholita Armendáriz... Don Carlos tamborileaba con la punta de los dedos sobre el brazo del sillón como tratando de recordar. Hasta que por fin, se irguió con un gesto triunfante. ¡Claro que sí! ¿No era la misma que desempeñaba el papel de ángel en todas las veladas parroquiales y que, en una ocasión, en que por causa de unas anginas y para no suspender el acto, iba a ser sustituida por su hermana? Ante tal perspectiva Cholita, empujada por el celo religioso que en ella sobrepasaba al efecto fraternal, se vio en la coyuntura de revelar que su hermana era indigna de ponerse esas vestiduras, sagradas por lo que representaban, para cubrir un cuerpo que se había entregado a las más bajas pasiones. Y mencionó, con una exactitud realmente pasmosa, los nombres de los cómplices, los sitios de las consumaciones y su número, del que ella llevaba estricta cuenta. La velada parroquial no se llevó al cabo, naturalmente, pero en lugar de ella el pueblo comiteco pudo disfrutar de un sabroso escándalo. La hermana de Cholita fue desterrada a uno de los ranchos de su padre y ella añadió a los méritos de su apariencia el de poseer un implacable índice de fuego para señalar la corrupción donde quiera que se hallase, aun entre sus seres más queridos.

Don Carlos, como sus demás coterráneos, aplaudía esta cualidad pero le era preferible contemplarla desde lejos y no correr el riesgo de convertirse alguna vez en el señalado por el índice de Cholita. Porque la carne es flaca y el justo cae setenta veces diarias y nadie está libre de tentación.

La número tres, Leonila Rovelo, era rica, aristócrata, dueña de una salud espléndida...

—Por favor, don Evaristo, no continúe, usted. La conozco y me parece un magnífico ejemplar de vaca suiza. Podría amamantar al pueblo entero lo que no obsta para que sea incapaz de hilvanar dos palabras juntas. ¿Sabe usted cuál fue la causa de la ruptura con un novio con el que estaba a punto de casarse, Ramiro Albores?

Don Evaristo tuvo que reconocer que no.

—Pues resulta que, ante la inminencia de la boda, los familiares de Leonila se hicieron de la vista gorda para dejar a los novios hablar a solas durante unos momentos. El lugar no podía ser más propicio: una banca del Parque, rodeada de jazmineros cuyo aroma, como dicen los poetas, embalsamaba el ambiente. La marimba desgranaba sus más dulces melodías desde el kiosco y la luna rielaba con suavidad por el cielo. La ocasión es de las que no se presentan dos veces. Ramiro, que no era poeta, halló, sin embargo, la elocuencia suficiente para hablar de su amor, de sus esperanzas, de la felicidad que lograrían juntos. Leonila lo escuchaba con arrobamiento pero, cuando le llegó su turno de contestar, empezó a hacer nudos con su pañuelo. Ramiro insistía, al principio con cortedad, luego de modo más resuelto, pero siempre con ternura. Acabó por atreverse a tomar la mano de Leonila que continuaba muda. Cuando, por fin, se decidió a hablar fue para decir: "¿Qué horas son?"

—Tendría alguna urgencia...

—No tenía ninguna urgencia y además, frente a ella, resplandecía, con todos sus números, el enorme reloj del Cabildo al que podía, en último caso, echar una ojeada. No, se trataba únicamente de decir una frase corta, usual y cuyo significado le fuera comprensible.

Don Evaristo no se arredró por la victoria del otro.

—¡Haberlo dicho antes! Lo que usted quiere es una lumbrera. Bueno, pues allí tiene a Elvira Figueroa: compone acrósticos a San Caralampio, patrón de su barrio, a quien se le deben milagros sin cuento...

—Entre los cuales no está el matrimonio de esa señorita.

—Los hombres le temen y le huyen porque no se atreven a competir con ella. Se sabe de memoria las capitales de Europa, es capaz de resolver el más intrincado crucigrama...

—Y mientras tanto se cae la casa.

—No, no me va usted a agarrar por allí. Para Elvira la economía doméstica no tiene secretos. Y en cuanto a la culinaria me bastará con decirle que las propias monjas del convento de la Merced le piden recetas y consejos cuando quieren lucirse agasajando al Señor Obispo.

—Dudo que pueda ganar a doña Cástula.

—En otros terrenos es también muy primorosa. Borda, hace unos pirograbados preciosos en terciopelo y en madera, pinta acuarelas...

—Y toca el piano.

—Con un brío en que no la igualaría ningún hombre.

—Ahora me explico lo del bigote.

—Doctor, lo que acaba usted de decir es una falta de delicadeza. De una señorita no se comenta nunca ese tipo de defectos. Aunque se rasure.

—Mea culpa, don Evaristo. Prosigamos.

—Yo ya no sé de nadie más.

—¿Cómo? ¿Es posible que no se haya usted fijado en sus vecinas de enfrente?

—¿Quiénes? ¿Las Orantes?

—Sí. Salvo que esté usted ofendido por lo del bigote de la señorita Figueroa (del que me retracto y de hoy en adelante llamaré ligera sombra de bozo) no me explico que no haya usted puesto en su lista por lo menos a alguna de las tres. Porque las hay para todos los gustos.

—No para el suyo, que es bien difícil. La mayor, Blanca, es Dama del Sagrado Corazón de María, Celadora del Santísimo...

—Que yo sepa nunca ha tenido un novio.

—No, y por desgracia tampoco tiene vocación de monja. Así que tiene que conformarse con esa agua tibia que es la soltería.

—¿Y la que sigue?

—¿Yolanda? Tiene miedo de que si se acerca a la iglesia va a contagiársele el destino de su hermana. Así que no vive más que para las diversiones y le ha hecho la lucha a cuanto hombre disponible hay en Comitán. Excepto a usted, porque no es afecta a gastar su pólvora en infiernitos. A estas alturas, y después de haber recorrido a todos, el único recurso que le queda es un agente viajero. Los atrae. Pero en cuanto se enteran de la situación tratan de aprovecharla o abandonan el campo. ¡Lo que es la suerte! En cambio, la menor, Romelia, se siente la divina garza porque apenas acaba de vestirse de largo para ir a su primer baile y ya no hay día en que no le ronden el balcón dos o tres moscones ni noche en que no le lleven serenata.

—¿Es muy bonita o es muy coqueta?

—¡Yo qué voy a saber! ¿Con qué ojos quiere usted que la mire, después de que la marimba con que la agasajan sus enamorados me ha mantenido despierto toda la noche y tengo que madrugar para decir mi primera misa?

—Valdría la pena que la mirara usted padre, aunque sea con ojos soñolientos o irritados. Yo la vi una vez. Y me dio la impresión de un ser tan ávido de vivir... Pero no con esa avidez que envilece, no, sino con esa otra que exalta. Lo que se le sale a la cara no es hambre, es necesidad de plenitud.

—Ajá. Con que hemos estado jugando sucio ¿no?

Y mientras yo me tomaba el trabajo de discernir espíritus usted se tenía bien guardado un as en la manga.

—Padre, yo no he hecho más que verla de lejos. Una vez. No sé nada de ella. No he querido preguntar.

—En cambio de las otras está usted bien enterado Gracias a doña Cástula, supongo.

—Doña Cástula ya no es mi único punto de contacto con el mundo. Ahora tengo mi clientela, padre. Y usted sabe que la gente sólo puede hablar, lo que se llama hablar, con su sacerdote o con su médico.

—De modo que es la clientela. Desde hace algún tiempo he venido notando cómo se depuraba. Ya en el zaguán no hay tantos pobres... y en cambio ha habido que acondicionar una sala de recibo con sillones cómodos y floreros y revistas sobre la mesa... No, no es un reproche. Es la observación de una ley natural. El agua busca siempre su nivel.

—Me he puesto de moda entre la gente visible. Vienen a ver de cerca a un animal raro.

—¿Y usted, cómo los trata?

—Como se merecen.

—Entonces van a perseverar. ¿Se ha anotado usted algunos éxitos?

—Fulminantes. Como por ensalmo he hecho desaparecer enfermedades imaginarias. Aunque, claro, no he prometido nunca una curación definitiva. Los ricos necesitan entretenerse en algo y no es lícito arrebatarles toda esperanza.

—Humm. La táctica no es mala. Ya se ha hecho usted famoso. Un día de éstos va a acabar por venirlo a ver don Rafael Orantes, el padre de la muchacha que tanto le ha llamado la atención. Es un hombre de cierta edad y que padece achaques. Su familia se preocupa. ¿Qué va a ser de ella cuando le falte el respeto de su varón? ¿Quién va a administrar el capital que don Rafael ha hecho llevando a vender partidas de ganado a Guatemala?

—Pero tiene un hijo. Yo lo recuerdo muy bien. Fuimos compañeros de escuela. Se llamaba Rafael, igual que el padre.

—Murió hace tiempo.

—Es raro que yo no me haya enterado. Debe de haber sucedido en los años en que yo estuve fuera de Comitán.

—No. Fue casi por las mismas fechas del fallecimiento de su esposa. Unos días después.

—Ah, entonces se explica. Yo perdí la noción de todo lo que no fuera mi... mi desgracia. ¿Y de qué murió?

—Fue un accidente de cacería. Se le disparó el rifle y le destrozó la cabeza.

—Por aquellas fechas Rafael ha de haber sido joven. Bueno, tan joven como yo me consideraba a mí mismo. Unos veintiocho años, más o menos.

—Sí, más o menos.

—¿Y era soltero o casado?

—Les dio muchos dolores de cabeza a sus padres. Le gustaba la parranda, el mariposeo. Andaba picando por aquí y por allá. Pero nunca llegó a formalizar con ninguna.

Don Carlos se dio una fuerte palmada en el muslo, como de quien acaba de recordar algo.

—Sí, sí, es verdad. Estela misma me contó algo de que le había hecho la ronda.

—¿Y por qué había de ser ella la excepción?

—Pero allí parece que las cosas se complicaron un poco porque la madre de Estela se opuso a las relaciones y les prohibió terminantemente verse, escribirse... En fin se portó como si lo que se hubiera propuesto fuera casarlos.

—Nunca se habló de eso. Ni siquiera de un noviazgo.

Don Carlos cambió de tema con volubilidad.

—Así que a falta de un heredero varón, don Rafael Orantes deja tres mujeres. ¡Ay, don Evaristo, en estos casos es cuando lamento no ser musulmán!

—Irreverente, además de hipócrita. Porque usted ya le tiene echado el ojo a una. Y las otras dos bien pueden ser borradas del planeta.

Don Carlos adoptó una expresión grave para contestar.

—Recuerde, don Evaristo, que yo de Romelia no sé nada. Y que todo quiero averiguarlo gracias a usted.

Don Carlos tuvo, sin embargo, (y no muy en contra de su voluntad) otra fuente de información: implacable, veraz y, que desde su nivel, percibía detalles mucho más reveladores —por nimios, por impremeditados, por intrascendentes— que esas generalidades vagas mediante las cuales don Evaristo pretendía definir la personalidad de Romelia. Esa fuente de información era doña Cástula, cuya suspicacia se había agudizado al advertir los tejemanejes de su amo y que sentía peligrar el absolutismo de un imperio cada vez más vasto. Porque ahora, por ejemplo, unos semaneros de las fincas removían la tierra del jardín para plantar semillas nuevas y se podaban los viejos árboles y se llenaban los corredores con especies raras de orquídeas y en torno de los pilares crecían enredaderas importadas.

Que don Carlos tuviese un quebradero de cabeza discreto le habría parecido a doña Cástula no sólo muy legítimo y muy puesto en razón sino que lo contrario aparecería ante sus ojos como anormal. Pero que volviera a casarse ya lo consideraba como empresa extemporánea, arriesgada y hasta un poco ridícula. Más si se tenía en cuenta que el aire soplaba por el rumbo de la menor de las niñas Orantes, de esa familia con la que no duraban las criadas, de esa casa a la que se entraba a servir por curiosidad y de la que se salía con material suficiente como para entretener los ocios de todas las otras patronas comitecas juntas.

De lo mucho que doña Cástula oyó decir sobre Romelia sacó en limpio lo siguiente: que su nacimiento fue un milagro de la señora Santa Ana, pues sucedió cuando ya sus padres habían perdido toda esperanza de descendencia. Por eso mismo, y por la desproporción de edades que guardaba con sus hermanos mayores, se convirtió en la consentida. Pasaba de unos brazos a otros, se la disputaban para arrullarla, para divertirla, para regalarle golosinas. La unanimidad del afecto fue tan total que Romelia llegó, suave y naturalmente, a la convicción de que su existencia constituía el centro del universo. Como nadie necesitaba ser persuadido de este axioma no tuvo que recurrir a ninguna demostración: ni rabietas, ni caprichos, ni enfermedades fingidas, porque nadie olvidaba nunca quién era Romelia ni lo que valía.

Su carácter, pues, en circunstancias propicias, era apacible y aun alegre y expansivo. Se sabía donadora de felicidad y ella misma era feliz al poder proporcionársela a los otros.

De este paraíso infantil no la expulsó la disciplina del colegio (porque cada año los mayores aplazaban para el siguiente su inscripción), ni la indiferencia de ninguno de los que la rodeaban, ni la traición de alguien solicitado o por asuntos más urgentes o por efectos más exclusivos. Lo que destrozó el mundo de Romelia fue algo a lo que no pudo siquiera enfrentarse porque no era capaz tampoco de comprenderlo: la muerte.

La muerte que no sólo le arrebató a su hermano Rafael que fue, quizá, el más rendido de sus adoradores (o por lo menos el que le proporcionaba sorpresas más agradables, diversiones más variadas, paseos más audaces) sino que transformó en otros seres, profundamente extraños, impenetrables y aun hostiles, a los que antes la habían amado.

Recordaba aún, con rencor, cómo el día en que trajeron del rancho, en una parihuela cargada por cuatro indios, el cadáver de Rafael, ninguno tuvo para ella una mirada, un gesto que la protegiera de aquella visión horrible. Tampoco, mientras se hacían los preparativos del entierro, ninguno se fijó si Romelia comía o dejaba de comer. Y las noches que duró el novenario Romelia se encerraba, castañeteando los dientes de miedo, en una alcoba en la que no la acompañaba ni aun el sueño. Perdió la cuenta de las veces en que la fiebre la visitó y volvió a irse sin que una mano solícita tocara sus sienes o acercara a sus labios un remedio. ¿Para qué llorar si no había testigos a su alrededor? ¿A quién recurrir? Con los ojos agrandados por el estupor Romelia contemplaba lo que acontecía en torno suyo.

Doña Ernestina, su madre, vagaba por la casa, desgreñada, sucia, delirante. Ni la autoridad del esposo, ni los ruegos de las hijas, eran bastantes para hacerla volver en sus sentidos. Cuando accedía a quedarse en su cuarto era para invocar, a oscuras, a gritos, la presencia del hijo ausente. Y aprovechaba el menor descuido de sus vigilantes para hacer llegar hasta ella a mujeres sospechosas de brujería, a echadoras de cartas, a adivinas. Tuvo la osadía de desafiar la cólera de don Rafael y la opinión del pueblo, con tal de asistir a una sesión espiritista de la que la expulsaron por que intentó, violentamente, obligar a la medium a que, al través suyo, se materializara su hijo muerto.

Don Rafael padeció la desgracia de otra manera. Siguió atendiendo escrupulosamente sus negocios. No dejó ni de frecuentar a sus amigos ni de presidir la mesa familiar en la que ahora había dos lugares vacíos: el de Rafael y el de doña Ernestina. Pero nadie recordaba haberlo visto reir, abandonar su reserva, descuidar ese aire de atención continua sobre sus propios actos como para impedir que se le desmandaran. A solas se derrumbaba a llorar sobre los escombros de una vida cuya raíz había sido arrancada de cuajo y que no tenía el menor interés en conservar. Así no opuso la menor resistencia a las primeras insinuaciones de la enfermedad y de la decrepitud. Aunque tampoco estas nuevas circunstancias adversas iban a modificar unos hábitos que, con tan heroico esfuerzo, había logrado mantener intactos.

En cuanto a las hermanas de Rafael, el brío de la juventud, las esperanzas en el porvenir, atemperaron su dolor. Desconcertadas por la vehemencia y la irracionalidad del dolor de su madre, sospecharon que detrás de aquel suceso que después de todo era natural y que muchos de sus conocidos sobrellevaban con resignación y sin alardes, se ocultaba un misterio que su condición de mujeres les impedía descubrir. Y no fueron capaces de imaginar nada que no tuviera una relación directa con ellas mismas.

Blanca intuyó confusamente una culpa (¿suicidio?) que la obligaba a la expiación. Yolanda resintió la vergüenza de las excentricidades de doña Ernestina como un reto al que respondía exagerando su afán de agradar. Así una se hizo devota y otra coqueta. Y ambas, para la realización de sus deseos, contaban con una herencia que, de pronto, adquiría tal magnitud que no podía caber en sus pequeños cerebros.

En cuanto a Romelia intentó, al principio, manifestar en todas las formas posibles, la intensidad de su duelo para atraer sobre sí la atención errante de los otros. Tuvo desmayos públicos y melancolías privadas, pero su madre era una competidora, por lo pronto, original, y luego demasiado experta, así que tuvo que batirse en retirada. Eligió no el desenfreno sino la constancia. Mucho después de cumplido el término del luto se negaba no sólo a quitárselo sino también a aliviarlo con un bies de color. Conservaba siempre puesto un relicario en el que guardaba, bien plegado, el único papel que en su vida le escribió su hermano. Fue en ocasión del envío de los primeros duraznos que se cosechaban en la finca; y el papel decía nada más: "que te haga buen provecho".

Pero estas ostentaciones de Romelia, que la convirtieron en una criatura legendaria para los comitecos, no lograron sacar de su ensimismamiento ni a sus padres ni a sus hermanas. Así que tuvo que dedicarse, con exasperación, a la búsqueda de un afecto que sustituyera, que compensara todos los que había perdido en la catástrofe. Se pegaba a las faldas de las criadas, de la costurera que venía a repasar la ropa de la familia, de la molendera de chocolate.

Siervas, al fin, la consecuentaban porque para algo ha de valer ser hija de patrón. Pero cada una tenía su mundo aparte y en él Romelia no iba a hallar cabida.

Cuando Romelia entró en el Colegio (porque, en un momento de lucidez sus padres advirtieron que tenía doce años y que ignoraba hasta los rudimentos de la lectura) hizo el doloroso descubrimiento de que llamarse Romelia Orantes no significaba nada y que si su apellido era bueno había otros iguales o mejores con los que tendría que competir. Que si quería lograr la aprobación de sus maestras y la amistad de sus compañeras, necesitaba merecerlas. ¿Los medios? La aplicación en el estudio, la adquisición de la destreza en los juegos y la lealtad en las circunstancias difíciles.

El primer movimiento de Romelia fue de orgullo y de rechazo. Se negaba a aceptar las reglas, quería volver a la omnipotencia y a la impunidad de la infancia. Pero su voluntad chocó, y fue pulverizada, contra las órdenes terminantes de su padre, que la obligaron a seguir asistiendo, y con puntualidad extrema, a clases.

Humillada, Romelia trató de adaptarse a sus nuevas condiciones, aunque con bastante torpeza y escaso éxito. Logró la tibia simpatía de alguna monja, pero nunca esa predilección exclusiva y apasionada de que gozaban otras que, sin embargo, no observaban una conducta más ejemplar que la suya. Logró una o dos conversaciones con muchachas a quienes, si le hubiera sido dado elegir, habría repudiado. Y nunca una confidencia, un juramento de amistad (como los que intercambiaban las otras), nunca una invitación a continuar el trato fuera de las aulas.

Situada en un presente tan insatisfactorio, Romelia se volvió hacia el pasado para idealizar la figura de su hermano muerto, el único fiel, para rendirle un culto que su familia —sobre la cual el tiempo dejaba caer indiferencia y olvido— estaba comenzando a abandonar. El símbolo de ese culto era el relicario, siempre sobre su pecho sobre el que resplandecía, hasta en las ocasiones más frívolas, con exclusión de toda otra joya.

Y, por otra parte, Romelia proyectaba su afán de revancha para el futuro. Alguna vez, de algún modo que todavía no se le mostraba claramente, iba a recuperar su sitio de privilegio, iba a ser exaltada a cumbres inaccesibles para los demás, iba a ser proclamada, en una enorme apoteosis, como la predilecta.

El instrumento para lograr sus fines empezó a revelársele cuando despuntó en ella la pubertad: era el cuerpo. Más allá de los oscuros y severos uniformes de la colegiala, los hombres adivinaban unas formas que prometían ser espléndidas.

Romelia, lejos de turbarse ante la avidez de las miradas, volvió a sentir en torno suyo esa atmósfera eléctrica que fue la de su infancia. Sólo que ahora sabía algo que antes ignoraba: que el poder es siempre frágil; que cualquier contingencia lo arrebata y que es preciso, mientras se le tiene entre las manos, aprovecharlo, hacer un uso inteligente de él para lograr lo esencial.

Lo esencial, para ella, era el amor. Un amor que colmara todos sus vacíos y que no exigiera reciprocidad, aunque desde luego Romelia no era tan ilusa como para no disponerse a hacer todas las concesiones necesarias a las apariencias.

Después, el rango. Porque el amor debe bajar hacia los elegidos, como baja la luz de un astro lejano y poderoso, y no subir como una nube de incienso. Romelia trocaría el apellido de Orantes sólo por otro mejor.

Fortuna. Romelia estaba acostumbrada a la seguridad que proporciona la posesión del dinero pero necesitaba evolucionar hasta el disfrute del lujo. Estaba dotada no de ese instinto grosero que lleva a preferir lo más vistoso sino de esa especie de videncia que descubre lo más caro.

Pero mientras Romelia llegaba al término final de sus ambiciones, le era preciso conformarse con triunfos menores. Como el de ser electa reina de las Fiestas Patrias y aparecer en todas las ceremonias escoltada por un chambelán que era representante nada menos que del Gobernador del Estado; como recibir diariamente el homenaje de algún admirador al que no se dignaría mostrar el menor signo de benevolencia; como constatar la envidia de sus amigas y contemplarla de cerca, y llevarla hasta la exasperación, en sus hermanas, en Yolanda.

Estos incidentes colmaban a Romelia un día, un rato. A veces, por motivos que no alcanzaba a comprender, se sentía apaciguada meses enteros. Pero lo otro, lo real, lo definitivo, tardaba en cuajar.

Pero cuando cuajó fue para sobrepasar todas sus esperanzas, aun las más desmesuradas, aun las más ambiciosas. Un hombre como don Carlos reunía, en el grado sumo de excelencia, las condiciones requeridas y agregaba a ellas un prestigio más: el de habérsele considerado inconquistable.

¡Cuántas habían pretendido seducirlo, atraerlo y se habían visto obligadas a abandonar la empresa por imposible! Y he aquí que, de pronto, una muchacha para quien don Carlos no sólo no es interesante sino que tampoco es existente, lo saca de quicio y lo obliga a buscarla, a perseguirla, a frecuentar lugares que antes desdeñaba, a adoptar actitudes que lo rebajaban ante los ojos de todos, a cortejarla, en fin, con todas las reglas del arte.

Un hombre que, como don Carlos, no había vuelto a poner los pies en la iglesia desde el día de su primer matrimonio, asistía ahora, diariamente y tempranito, a misa, sólo para ver entrar a Romelia, para contemplarla desde lejos mientras se desarrollaba el acto ritual, a seguirla a distancia en el camino de regreso a su casa.

Ella sentía la mirada fija sobre sí y la estremecía una sensación de triunfo. Alguna vez ese hombre tan fuerte, tan dueño de sí, tan entero (y a quien, sin embargo, intimidaba ella con su sola presencia) iba a atreverse, iba a acercarse, iba a hablar, iba a decirle que la amaba, iba a suplicarle que condescendiera a ser su novia, su esposa. Ella fingiría azoro, sorpresa y endulzaría el rechazo inicial y obligatorio con una afectación de modestia. ¿Cómo era posible que una persona de los méritos, de los títulos, de la experiencia (no, no mencionaría la edad, podía ofenderlo) de don Carlos hubiera venido a fijarse en una muchacha tan insignificante como Romelia? Cierto que era factible que se hubiese dejado deslumbrar por las apariencias. ¿Pero cuánto dura una cara bonita y de qué sirve si no tiene como complemento la virtud y la seriedad? Romelia que, por lo menos era franca y se mostraba sin hipocresías, debía confesar sus defectos, algunos de los cuales eran graves y otros molestos. El hombre que la requiriera tendría que aceptarla tal y como Dios la había hecho. Y como eso no era fácil se necesitaba nada menos que el amor, el verdadero amor.

Aunque esta aclaración de Romelia tuviese todos los visos de una negativa, sería formulada con tal maña que don Carlos, por poco avisado que fuera, hallase en los términos finales una esperanza que lo incitara a probar que su amor era tan verdadero como se necesitaba.

Ya colocados en esta tesitura Romelia iría concediendo que, a su edad, ningún carácter está definitivamente formado y que ella, bajo una dirección hábil y unos consejos sabios, podría corregirse. Por ejemplo, a Romelia, como a todas las muchachas jóvenes, le

LA "CONFESION"
IMAGINARIA de Romelia

encantaban las fiestas y los halagos y los disfrutaba cuando los tenía al alcance de la mano. Aunque siempre, claro, dentro de los límites de la corrección y sin que nadie pudiera echarle en cara un devaneo, un desliz, una locura. Su honestidad se había templado en las ocasiones, algunas de las cuales le mostraron formas de la tentación que no eran tan fáciles de rechazar. Pero Romelia no iba a aferrarse a estas costumbres porque bien comprendía que lo que a ella la empujaba a los paseos y reuniones no era sino lo que una mujer casada encuentra sobradamente en su hogar: la compañía, el apoyo, la protección, el amor. Teniendo esto se tiene el sosiego y la paz y el mundo de afuera carece ya de atractivo.

Porque, aunque su aspecto frívolo la desmintiera, Romelia no había soñado nunca más que con un afecto tranquilo y seguro. Desconfiaba de las pasiones, temía las aventuras, no anhelaba sino encontrar un hombre digno de que ella le dedicara su devoción y su fidelidad incondicionales. Para su desgracia, Romelia era de las de una sola palabra, una sola voluntad, un solo destino.

Esta confesión la conmovía tanto que, aún siendo imaginaria, hacía fluir las lágrimas abundantemente a sus ojos. Con un además convulsivo apretaba entre los dedos de su mano derecha el relicario, el símbolo de la constancia de sus afectos.

Pues Romelia intuía, por la forma en que don Carlos había padecido la viudez, que sabría apreciar mejor que ninguno el hecho que representaba la conservación del relicario. El culto a los muertos podría constituir su primer punto de aproximación y después ambos irían descubriendo asombrosas coincidencias de gustos en el presente y de anécdotas pretéritas. Romelia estaba dispuesta a dejarse instruir e iniciar en las aficiones del otro, fueran las que fueran. O a mostrar desprecio por la gente que pierde su tiempo en fruslerías, en el caso de que don Carlos fuera un hombre sin aficiones.

En cuanto al pasado Romelia había decidido respetar el de don Carlos como cosa sagrada. A no aludir jamás a él si no se le concedía una autorización previa y a hacerlo en el tono de alguien que comprende que se halla frente a una realidad que sobrepasa sus propios méritos.

Había oído decir, por ejemplo, que una de las habitaciones principales de la casa de don Carlos había sido convertida por él en una especie de museo en el que se conservaban, intactas, siempre escrupulosamente cuidadas y limpias, las pertenencias de Estela. Pues bien, su sucesora sería la más celosa guardiana de la veneración que a ese, no, museo no, altar, se le debía. Hasta que el mismo don Carlos le rogara que no exagerase y ella, por obediencia, fuera dejando que crecieran las telarañas y se extendiera el moho y se multiplicaran los hongos. Pues nadie volvería a acordarse de aquel cuarto cerrado habiendo tantos otros abiertos y que requerían atención y cuidado. Luego los tiempos traerían complicaciones inevitables. Por ejemplo, los embarazos, los partos. Llegaría el momento en que no fuera suficiente el espacio para ella, para el recién nacido. ¿Iba a ser capaz don Carlos de oponerse a que se guardaran los objetos inútiles en un baúl y se acondicionara el cuarto como alcoba del niño? Ya después ella podría destinarlo a otros usos. Un costurero, que siempre había soñado, y de cuya decoración tenía ideas muy precisas.

Según la fama, don Carlos era melancólico y Romelia se acomodaría, al principio, a este humor. Pero, poco a poco, y considerando el bien de su marido, lucharía hasta conseguir que se formara alrededor de ambos un círculo selecto de amistades. Organizarían tertulias, excursiones al campo y tal vez, tal vez, hasta bailes.

En este círculo ¿qué cabida hallaría don Evaristo quien por ahora, era el único amigo de don Carlos? Probablemente ninguna, porque se trataría de parejas de matrimonios jóvenes y la presencia de un célibe y, más, de un sacerdote, es siempre incómoda, cohibe a los demás y mata la alegría y la espontaneidad. Para recibir a don Evaristo se reservarían días especiales, cada vez más raros, hasta que —al unísono él y don

Carlos— comprendieran que sus mundos se habían separado y procuraran evitar la agonía de esas visitas en que ningún tema de conversación prospera, ningún interés se comparte, ninguna proposición encuentra resonancia en el otro.

En cuanto a doña Cástula, de la que Romelia tenía la certidumbre de que, sintiéndose dueña y señora de la casa, estaba dispuesta a dar la batalla para no dejarse destronar por cualquier advenediza, habría que manejarla con precaución por que era necesaria y en ella quería descargar Romelia todas las pesadas rutinas de patrona y de madre. Pero la táctica consistiría en una especie de juego de estira y afloja, de concesiones generosas y negativas arbitrarias, de vigilancia estricta (para impedir que traspasara sus límites y olvidase su condición inferior) combinada con una benevolencia extrema y demostraciones de confianza absoluta.

En términos generales ésta podría ser la línea de conducta adecuada. Pero aquí, como en todo lo demás, Romelia estaba preparada para improvisar las acciones sobre la marcha, para modificar sus actitudes según las circunstancias y aún para rectificarlas por completo si ello era preciso.

Por ejemplo, en el caso del noviazgo. Sus cálculos resultaron inútiles desde el momento en que don Carlos se abstuvo de tratar el tema directamente con ella si no que, con el pretexto de que no sabría resistir una negativa, envió como emisario al padre Trejo ante los señores Orantes.

Las negociaciones, pues, se llevaron al cabo en un nivel en el que la presencia, por lo menos la presencia, de Romelia, no contaba. Antes de consultar con ella sus padres pesaron los pros y los contras de tal enlace y don Rafael tomó incluso la providencia de rendir una visita a doña Clara Domínguez, la madre de Estela, para pedirle referencias acerca de quien había sido su yerno.

Doña Clara, aunque nunca había podido perdonar a don Carlos que no hubiera recurrido a ella —viuda y sola también— para que se quedara en la casa en que había asistido como enferma a su hija y la había velado como muerta, para que permaneciera definitivamente allí como ama (sino que había preferido confiarse a una sirvienta) tuvo que reconocer que, como marido, don Carlos fue intachable.

Desde el primer momento concedió a la enfermedad de Estela la importancia que tenía e hizo cuanto estaba en sus manos para curarla. No escatimó gastos y así como hizo venir a famosos especialistas de México, también permitió que dieran su parecer las curanderas más humildes. Los medios no le importaban. Lo que le importaba era la vida de Estela. Y luchó, para salvarla primero, para prolongarla después, sin dar una muestra de impaciencia o de cansancio hasta que todo fue imposibe. Porque la raya que Dios pinta no la cruza nadie y Estela allí se quedó.

Alentado por estas confidencias don Rafael se inclinaba a dar su consentimiento para la boda y, más que una proposición, lo que transmitió a Romelia al través de doña Ernestina, fue una orden que la muchacha acató con la docilidad que se espera de una hija modelo, papel que, en ese momento, era el único que le permitían desempeñar.

El período de noviazgo fue breve y don Carlos y Romelia fueron sistemáticamente impedidos de verse a solas, pues tal es la costumbre. Pero cuando, por un acuerdo tácito, los vigilantes se descuidaban un momento, ella bajaba los ojos y se ruborizaba en espera de la frase romántica que había leído en una novela, de la mirada lánguida que lanza el modelo de tarjeta postal, de la tetnativa, brutal y torpe a la que ella resistiría heroicamente, de aproximación.

Pero don Caros parecía no advertir la oportunidad que se le presentaba y desperdiciaba esos minutos fugaces hablando de los encargos de ropa que había hecho a México, de los muebles que los carpinteros se demoraban en entregar, de la fe de bautismo que era necesario conseguir.

¿Cómo podía explicarse Romelia la conducta de su novio? No procedía así por inhabilidad, desde luego, ya que era hombre de mundo. Tampoco por falta de amor porque cuando un hombre no ama a una mujer no se casa con ella y este hombre parecía estar devorado por un ansia febril de que los acontecimientos se consumasen. Entonces procedía así por delicadeza. Nada más. Y ella debía sentirse halagada y agradecida.

El plazo se cumplió al final y la ceremonia de la boda (misa solemne, cantada por tres padres en la que el principal oficiante era don Evaristo Trejo) fue celebrada en el Templo Mayor, cuya nave resplandecía de luces y para cuyo adorno se arrasaron todos los planteles de flores de Comitán.

Al fondo, las voces del órgano y de un coro de niños, atacaron la Marcha Nupcial en el momento en que entró la comitiva. Sobre la alfombra roja, del brazo de su padre, vestida de brocados antiguos y sin más joya que el famoso relicario, avanzaba —con paso deliberadamente lento para que su belleza pudiera ser observada y advertido hasta el más insignificante detalle de su atavío— la novia. Su semblante mostraba la gravedad propia del acto en que iba a comprometer su vida; el rubor, imprescindible dada la índole de ese acto, y un capullo de sonrisa en que asomaba la felicidad.

Detrás iba el novio sosteniendo a una doña Ernestina milagrosamente entera. Como si en todos los años transcurridos desde la muerte de Rafael no hubiera hecho nada más que alternar en sociedad, caminaba con desenvoltura, orgullosa de la elegancia y la discreción de su atuendo, alhajada, como siempre en las grandes ocasiones, con los diamantes heredados de los bisabuelos.

Las damas de honor eran las hermanas de la novia y no hubo manera de ponerlas de acuerdo acerca de los colores y el estilo de la ropa. Blanca eligió una tela gris oscura y un corte severo y monacal. Yolanda tuvo que ceder a los ruegos de su futuro cuñado y prescindió de la seda roja y brillante en la que se había encaprichado, del escote excesivo y de las mangas demasiado cortas y se contentó con permanecer en un terreno neutral en que el brillo de la tela fue atenuado por una opacidad inofensiva que hacía perder intensidad a su tono hasta volverlo moderado. En cuanto al escote se disimulaba con un velo y las mangas eran casi alcanzadas por la longitud de los guantes.

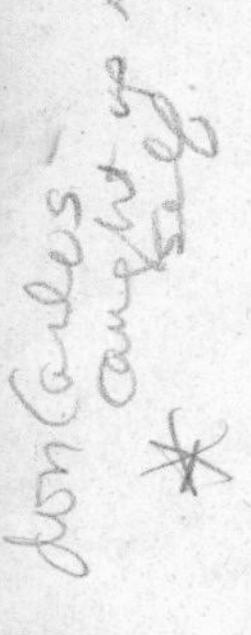

La concurrencia se fijó poco en los hombres. Pero el aspecto de don Rafael era el de un anciano que se sostiene en pie a fuerza de voluntad pero a quien la vida le ha dado ya la espalda. En cuanto a don Carlos —joven aún, corpulento, cuya mandíbula habla tanto de su obstinación y su ceño tanto de su ensimismamiento— no mostraba más que la calma, la seguridad, el dominio de sí mismo de quien ha atravesado por duras pruebas y ha salido, gracias a su coraje, bien librado y llega, por fin, a un puerto seguro.

Cuando los protagonistas se arrodillaron en sus reclinatorios, la música inundó los ámbitos de la iglesia con los acordes del Ave María de Gounod. En el momento del Evangelio se hizo un silencio general y, de pie, la concurrencia escuchó las palabras con que el sacerdote iba a declarar a la pareja marido y mujer.

Don Evaristo habló con fluidez, con entusiasmo, de la perfección del matrimonio cristiano —imagen terrestre de la unión mística de la Iglesia y Cristo—, de los deberes que el nuevo estado imponía a los cónyuges y de su obligación de formar una familia cuyos sólidos fundamentos fueran la fe y la observancia de los mandamientos divinos.

Con los ojos bajos Romelia se las ingeniaba para dar rápidos vistazos a su alrededor. Sí, en las bancas más próximas estaban sus amigas a las que mañana (y quizá siempre) les seguirían diciendo señoritas. Las que no iban a ser iniciadas, como ella esta noche, en los misterios de la vida. Las que no asistirían a los paseos, a las reuniones, a los entierros, sostenidas por el brazo fuerte de un hombre. Las que no se escudarían en la figura del marido para evitarse las molestias de las pequeñas decisiones y las responsabilidades de las decisiones importantes; las que no usarían el nombre del marido para negar un favor y rechazar una hospitalidad; las que no estarían respaldadas por el crédito del marido para contraer una deuda; las que no podrían invocar la autoridad del marido para despedir a una criada o castigar a un hijo.

De hoy en adelante Romelia ingresaría en el gremio de las mujeres que nunca dicen "yo quiero" o "yo no quiero" sino que siempre dan un rodeo, alrededor de un hombre, para llegar al fin de sus propósitos. Y ese rodeo se ciñe a una frase: el señor dispone... el señor prefiere... el señor ordena... no hay que contrariar al señor... ante todo es preciso complacer al señor ... necesito consultar antes con el señor... El señor que la exaltaría al rango de señora ante los ojos de todos y que, en la intimidad, le daría una imagen exacta del cuerpo que, al fin, habría alcanzado la plenitud de saber, de sentir, de realizar las funciones para las que había sido creado.

Los músicos prorrumpieron en un Gloria al que pronto se incorporaron los mil sonidos dispersos de una multitud que se apresta a disgregarse. Que se atropella un poco y sonríe y se cede mutuamente el paso, que hierve de impaciencia por comentar los sucesos y que inicia frases breves y entrecortadas en voz baja, que disimula sonrisas bajo pañuelos perfumados, que deja que la burla, el despecho, la envidia, asomen a sus ojos y que cuando piensa en la suerte de los recién casados alza los hombros con escepticismo. Un escepticismo infundado aparentemente porque todo favorece esta alianza: el amor, la juventud, la riqueza. Y sin embargo...

La recepción se efectuó en la noche y en la casa de los padres de la novia. El único incidente digno de mención (aparte, naturalmente, de la abundancia y la exquisitez de las viandas, de la profusión de los vinos, de las atenciones que colmaban a los invitados) fue el hecho de que en el momento en que los novios posaban para la fotografía tradicional, una mariposa negra entró volando por una ventana abierta y fue a posarse sobre la cola del vestido nupcial. Antes de que nadie tuviera tiempo de ahuyentarla ya había corrido un rumor entre la concurrencia:

—¡Es el alma de Estela!

Romelia palideció de humillación, de cólera, de miedo, y los movimientos de su pecho se aceleraron hasta el punto de que el relicario se desplazó ligeramente del centro al lado contrario al del corazón. La novia volvió unos ojos suplicantes hacia el hombre que estaba al lado suyo (era ya su marido, tenía el deber de protegerla) para que la rescatara de esta situación equívoca y le diera el lugar que iba a corresponderle ante los ojos de todos. Y don Carlos, con un movimiento rápido y decidido, hizo que la mariposa se alejara de allí y los demás, imitando su ejemplo, acabaron por arrojarla de la habitación.

Romelia suspiró, aliviada, y entrecerró los párpados para que los demás no sorprendieran en sus ojos esa fulguración de triunfo que los deslumbraría. Hasta entonces no había estado segura de cuál era el sitio que ocupaba en los sentimientos de don Carlos. Su vanidad le volvía insoportable la idea de no ser más que un plato de segunda mesa, aunque el sentido común le asegurase que Estela detentaría, por lo menos durante los inicios del matrimonio, la primacía. Pero ahora supo que pisaba tierra conquistada. Que su rival no tenía más consistencia que la de un fantasma.

Este descubrimiento fue la culminación de un día en el que confluyeron, en un instante privilegiado, milagroso, irrepetible, la infancia edénica y el presente total. El instante de la realización de un sueño que no era sólo de felicidad sino también de restitución y de justicia y que constituía tanto la entrada a la ancha senda de la madurez cuanto el retorno a la raíz y el origen más remotos.

A pesar de todo, cuando Romelia se despidió de su familia para seguir a su esposo, lo hizo llorando. Y se aferraba a su madre y los varones —el que había velado sobre su soltería, el que iba a ampararla hasta la muerte— hubieron de presionarla con ternura para que deshiciera ese abrazo que la costumbre prescribe y sin el cual los padres se considerarían ofendidos por la ingratitud y la facilidad con que la hija los abandona y el marido desconfiaría del liviano carácter de la mujer en cuyas manos ha depositado ya su honor.

Mientras tanto, en la casa de don Carlos, todo estaba a punto para recibirlo junto a su nueva esposa. Las pertenencias de la novia (enviadas con anticipación) habían sido acomodadas ya en armarios, cómodas, tocadores, joyeros. Su camisón de bodas se extendía sobre el lecho y las tenues lámparas no eran más que un preludio de la oscuridad.

Después de hacer estos preparativos —y de colocar sobre la mesa del comedor una cena fría y unas botellas de champaña sin descorchar— doña Cástula se retiró, discreta y ofendida, a su dormitorio que ahora estaba hasta el fondo de la casa.

Romelia atravesó el umbral sostenida delicadamente por don Carlos. El, por cortesía, le preguntó si deseaba conocer lo que desde ese momento iba a pertenecerle para siempre. Mas ella, para demostrar su desinterés, arguyó que estaba rendida con el ajetreo y las emociones del día. Don Carlos se reprochó en voz alta el no haber comprendido un hecho tan elemental y la condujo directamente a la alcoba. Allí, después de señalarle el sitio en que podía encontrar los objetos que le fueran necesarios, la dejó a solas para que procediese con entera libertad.

Romelia curioseó un poco, ponderó el valor de las cosas y luego, de prisa y diestramente, fue despojándose del vestido de novia y de todos sus aditamentos. Antes de ponerse el camisón se contempló, un instante, en el espejo. Su desnudez la hizo sonreír aprobatoriamente. Vaciló acerca de cual de las dos orillas de la cama era la que le correspondía y se decidió por la que estaba más próxima al tocador. Se acomodó, dispuso graciosamente su pelo suelto sobre la almohada y aguardó a que llegase don Carlos. No se hizo esperar y, con el mismo movimiento con que se inclinó sobre ella para besarla, apagó la luz.

Romelia despertó al escuchar cómo alguien descorría bruscamente las cortinas de las ventanas. Apretó los párpados para defender sus ojos de la intrusión violenta de la luz matinal y mascculló una protesta.

Durante unos momentos permaneció como aturdida, sin acertar a ubicarse ni a reconocer el sitio en que se hallaba. La voz de doña Cástula —respetuosa pero no servil— la hizo darse cuenta, de golpe, de su situación. Instintivamente se cubrió con las sábanas, gesto inútil pues el ama de llaves no se había dignado contemplarla sino que se entretenía en otros menesteres más útiles. Después de depositar la bandeja del desayuno cerca de Romelia se dirigió a un armario y mientras lo abría preguntaba qué ropa iba a ponerse la señora.

Romelia, azorada por este despertar tan diferente al que se había prometido junto a un hombre enamorado, tierno y solícito; insatisfecha consigo misma por haber dado a la familia a la que acababa de ingresar una primera impresión de pereza e irresponsabilidad (o por lo menos de ignorancia o de falta de respeto a los hábitos de la casa) contestó a una pregunta con otra.

—¿Hace mucho que se levantó el señor?

—A las seis, como siempre. Salió a pasear a caballo.

—¿Y a qué hora regresa?

Doña Cástula alzó los hombros para indicar que no lo sabía.

—Por que podría yo esperarlo para que nos desayunáramos juntos.

—Como usted disponga, señora. Pero antes de irse, don Carlos me recomendó que yo le avisara que quería encontrarla arreglada como para salir porque iban a hacer una visita.

—¿Una visita?

Romelia empezó a sentirse alarmada. Esperaba encontrar en su marido rarezas y excentricidades. Pero no una ni tan inmediata ni tan humillante. Y a estas horas, mientras ella dormía, el pueblo entero estaba al tanto de que lo hacía a solas, mientras su marido cabalgaba para demostrar a todos que lo ocurrido la noche anterior no fue ni agotador ni digno de continuarse durante la mañana siguiente. ¡Con qué lástima comentarían que la pobre Romelia no había sido capaz de retenerlo a su lado ni siquiera por la novedad!

Cierto que sus caricias habían sido torpes. ¿Pero no es la torpeza condición de las vírgenes? Cualquiera otra actitud, que no fuese de resistencia o de temor, cualquier rendición que no pareciera forzada, habría despertado en el esposo dudas sobre la pureza de la mujer, sospechas acerca de la autenticidad de su inocencia. Pero Romelia creía haber encontrado el justo medio en que quedara a salvo su prestigo y pudiera dar satisfacción a su esposo. Sin embargo, ahora ya no sabía qué pensar. Por una parte don Carlos era muy inexpresivo; por otra, ella estaba tan concentrada en sí misma, en su miedo, en los gestos rituales que debía cumplir, que no pudo observarlo, ni siquiera verlo. Eran, en esos momentos, dos personajes representando sus papeles respectivos. Para ella don Carlos no significaba más que el antagonista, el juez, el dueño, el macho. Pero no tenía rostro y no le oyó la voz.

¿Era posible, entonces, que —por ofenderla— la hubiese abandonado de madrugada para exhibirse solo por las calles de Comitán, como cuando era soltero? Y ahora quería clavar a fondo el estoque obligándola a acompañarlo a una visita.

Porque una visita significaba mostrar al público su andar trabajoso de virgen recién desflorada, sus ojeras de fatiga, la dificultad y el malestar con que asumía su nueva condición, todo lo cual se prestaría a bromas procaces. Por eso en Comitán era costumbre que los recién casados se encerraran durante los primeros días, hasta que la gente se acostumbrase a pensar en ellos como en una pareja más, hasta que ellos mismos adquiriesen el hábito de estar juntos y de proceder con la misma naturalidad de quienes han convivido largos años.

¿Pero qué sabía don Carlos de tales delicadezas? Lágrimas de despecho arrasaron los ojos de Romelia, quien tenía que esforzarse por disimular su contrariedad ante una doña Cástula imperturbable y que todavía aguardaba su respuesta.

—¿Qué vestido le preparo, señora?

Asegurando su voz para que no tembalara Romelia apuró el cáliz de su humillación hasta las heces.

—¿No le explicó el señor qué clase de visita era? ¿De cumplido, con la gente decente, o con, sus amigos de las orilladas?

Había ironía y desprecio en la pregunta para que la criada supiera que su nueva patrona era orgullosa y que si se sometía a prestar obediencia al marido, sería la última vez que iba a soportar que las órdenes le fueran transmitidas por personas inferiores.

—No lo sé, señora. Don Carlos no me dijo nada.

—Entonces saque ese vestido de piqué blanco.

Doña Cástula no hizo ningún movimiento por lo que Romelia tuvo que añadir.

—El día está fresco y como no es lujoso puede servir lo mismo para...

—Es blanco, señora.

Hasta entonces advirtió Romelia lo inapropiado de su elección. Efectivamente, ese era el detalle que faltaba para que los comitecos guisaran un buen chisme a costa de la virilidad de don Carlos. Impaciente, concedió:

—El que sea, entonces. Me da igual.

Doña Cástula insistía con la calma del que tiene razón.

—Pero hay que escoger. Y la que escoge es siempre la señora, no la sirvienta.

—Gracias por la lección, Cástula. Ya tendré oportunidad de corresponderle. Voy a ponerme entonces ese vestido de crespón color durazno. Le mandé a hacer un cuello especial para que pueda lucir bien mi relicario.

Con el gesto maquinal, repetido mil y mil veces desde la infancia, Romelia se llevó la mano al pecho e inmediatamente gritó:

—Mi relicario! ¿Dónde está?

Era una acusación de robo, una pequeña venganza contra quien había presenciado el ridículo en que chapoteaba Romelia, sus desaciertos, su inseguridad. Pero doña Cástula pasó por alto la alusión.

—Está allí sobre el tocador, señora. ¿No es éste?

Puso el relicario en manos de Romelia quien tuvo que reconocer que su alarma, por infundada, había sido un error más. Y mientras volvía a colgárselo alrededor de la garganta se esforzaba por recordar en qué momento se había despojado de él. Cierto que la noche anterior estaba demasiado aturdida y nerviosa, quizá hasta mareada por los brindis. De todos modos ¿qué importancia tenía haberse quitado el relicario si ahora estaba de nuevo en su sitio y si resaltaba favorablemente sobre el cuello del vestido color durazno?

Cuando llegó don Carlos no tuvo motivo de contrariedad. Su esposa había seguido al pie de la letra sus indicaciones y estaba ya lista para salir con él. Además había logrado serenarse, olvidar su disgusto, disimular su curiosidad y recibirlo con una sonrisa y sin ninguna pregunta.

Don Carlos se acercó a ella y le besó ceremoniosamente la mano.

—¿Descansó usted bien?

No se tuteaban aún. Romelia hizo un signo afirmativo. Quiso justificarse.

—Debo de haber estado rendida porque no desperté sino hasta que doña Cástula entró a darme sus recados.

—Entonces ¿podemos irnos ya?

—Sí.

La perfecta casada echa a andar tras el marido sin saber adonde. Ayer mismo —¿a estas horas?— juró seguirlo, hasta el fin del mundo si era preciso. No la asiste ningún derecho para inquirir el rumbo o para mostrar su desacuerdo. Mas don Carlos es un hombre civilizado que no abusa de su poder y condesciende a revelar sus propósitos.

—Vamos a casa de sus padres.

A Romelia se le iluminó de alegría el rostro. Pero no quiso añadir ningún signo más a éste que había brotado espontánea e irrefrenablemente. El afecto a los suyos debía haber cedido ya su lugar a sus nuevas obligaciones de esposa.

En la casa de los Orantes los recién casados fueron recibidos con una vaga aprensión que cubrieron bajo un despliegue exagerado de amabilidad y demostraciones de júbilo.

Como aún no había tiempo de borrar las huellas de la fiesta y la sala estaba siendo sometida a limpieza y orden por un ejército de criadas, las visitas fueron recibidas en el costurero. ¿No eran acaso de confianza? Vaya, algo más. Eran de la familia.

Se les ofrecieron refrescos, dulces, una copita. Don Carlos rechazó cada oferta con cortesía pero con una firmeza inapelable y Romelia no se atrevió a discrepar de su marido, que ahora decía:

—No vale la pena que se molesten. Yo no estaré aquí más que unos cuantos minutos, los suficientes para comunicarles —a usted, don Rafael, y a usted, doña Ernestina— un asunto de suma importancia.

Los aludidos se miraron entre sí, inquietos. Blanca y Yolanda se pusieron de pie para retirarse. Romelia palideció.

—¿Debo irme yo también?

—No. Porque el asunto le concierne a usted tanto como a nosotros.

Cuando quedaron solos el silencio adquirió una densidad y una longitud angustiosas. Ninguno sabía cómo romperlo. Por fin, don Rafael, comprendiendo que, por su edad y por su condición de padre le correspondía la iniciativa, carraspeó y dijo:

—Bien, don Carlos, estamos dispuestos a escuchar.

—Lo que tengo que decirles, le suplico que me lo crean bajo mi palabra de honor, es más penoso para mí que para ninguno. Pero no hay otra alternativa. He venido a depositar a esta casa a una mujer que no es digna de vivir en la mía.

Romelia abrió desmesuradamente los ojos, incrédula, incapaz de entender el sentido de las palabras de este hombre. Don Rafael apretó las mandíbulas y doña Ernestina se aseguró una horquilla del moño.

—¿Se da usted cuenta de la gravedad de lo que sostiene, don Carlos?

—Le juro que es tan grave para mí como para ustedes. El paso que doy significa la deshonra de todos.

Romelia se irguió: sus ojos llameaban; sus mejillas estaban arrebatadas de cólera.

—Deshonra ¿por qué?

Don Carlos miró a Romelia con ojos impasibles y su acento, al dirigirse a ella, era casi benevolente.

—No me obligue usted a entrar en detalles que si para mí, como médico, son fáciles de expresar, como marido burlado son dolorosos de reconocer. Y si conserva usted algún rasgo de pudor, señora, no someta a sus padres a la vergüenza de oir, con las palabras más crudas y desagradables, cómo la confianza que depositaron en su honestidad, fue traicionada.

Las últimas frases casi se perdieron entre las estrepitosas carcajadas de doña Ernestina. Por eso Romelia tuvo que gritar.

—¿Cómo, a qué horas, con quién pude yo cometer semejante pecado? Me vigilaron siempre, ningún hombre se me acercó nunca y no estuve a solas con nadie antes que con usted.

—A mí no me interesa cómo, cuándo ni con quién. El hecho es que yo ya no la encontré virgen.

—¡Mentira! Papá, dile que se calle, está mintiendo. Yo tengo pruebas.

Don Carlos replicó antes de que don Rafael pudiera intervenir.

—¿Cuáles?

La voz de Romelia había desfallecido. Le costaba trabajo pronunciar esa palabra por la que siempre había sentido repugnancia.

—La sangre... la sábana quedó manchada de sangre. Papá, vas a verla, yo te la voy a enseñar.

Doña Ernestina había enmudecido, había recompuesto su expresión y ahora contemplaba la escena desde tal distancia que no podía advertirse en ella ningún signo de profundo interés.

—Don Rafael, yo no soy tan ingenuo como para venir a pedirle que se fíe solamente de mi palabra. A fin de cuentas yo no soy más que un extraño y Romelia es su hija. Pero estoy dispuesto a repetir lo que he dicho y a demostrarlo en el terreno en que usted me lo exija.

—¿Es un reto a duelo, Rafael? —preguntó con una curiosidad más bien dictada por los buenos modales, doña Ernestina.

Sin dirigirse a nadie en particular don Rafael admitió:

—Don Carlos ha dado su palabra de honor, y es un hombre de honor. Tengo la obligación de creerle.

—¿Y a mí? —interrumpió apasionadamente Romelia—. ¿No vas siquiera a tomarte el trabajo de ir y ver esas sábanas?

Don Rafael hizo un signo negativo.

Romelia se había arrodillado ante su padre y, con la cabeza apretada contra su pecho, repetía:

—Recuerda, papá, cómo hemos vivido, cómo nos han criado. Encerradas siempre, cuidadas siempre. . .

Don Rafael volvió los ojos y los fijó en su esposa con una fría mirada inculpatoria. Pero ella no lo advirtió. Estaba distraída analizando la trama del encaje de su pañuelo.

—¡Dime con quién, papá con quién pude haber cometido esa culpa de que ahora me acusan!

Mientras don Rafael vacilaba entre la compasión al desvalimiento de su hija y la observación al código de honor que lo solidarizaba, como hombre, con don Carlos, se abrió silenciosamente la puerta del costurero y en el umbral se vio la figura, un momento inmóvil, de Blanca y de Yolanda.

Era evidente que ambas habían escuchado la conversación. Blanca se adelantó. Temblaba violentamente y, aunque hacía esfuerzos por hablar, de su garganta no salían más que sonidos confusos y estrangulados. Pero sus movimientos eran seguros, fuertes, precisos. Fue directamente hasta donde seguía arrodillada Romelia y, de un solo empujón, la apartó de su padre y la hizo rodar por el suelo. Jadeante, después de este acto, pudo al fin pronunciar algunas frases.

—¡La cínica se atreve a preguntar con quién! ¿Ya no te acuerdas de tu propio hermano, de Rafael? ¿Ya olvidaste que dormían juntos en la misma cama? ¿O crees que todos estábamos ciegos y sordos en esta casa para no darnos cuenta de lo que sucedía?

—¡Por Dios, Blanca, estás loca! Cuando Rafael murió Romelia era una criatura.

—Sí, una criatura a la que había mancillado. Yo los acechaba a todas horas para sorprenderlos... Yo no podía dormir, pensando, sintiendo remordimientos de pensar... Y luego tenía que acusarme ante mi confesor y cumplir con la penitencia que me mandaba y volver a caer en la tentación, porque ellos no me dejaban descansar nunca.

Romelia se había puesto en pie y se enfrentaba a su hermana.

—¡Celosa! No le perdonaste nunca su predilección por mí y ahora te vengas ensuciando la memoria de quien ya no puede defenderse. ¿Por qué, si tenías algo más que una sospecha, una certidumbre, no nos denunciaste? Porque preferías tus delirios inmundos a la verdad.

—La verdad está aquí. Ahora. Y la dice un hombre para que nadie desconfíe de su testimonio.

—No, no, don Carlos, por favor, no lo crea. Yo también fui testigo y los dos eran inocentes. Rafael ya ha sido juzgado por Dios, pero Romelia... Tenga usted compasión, piensa en lo que va a ser su vida aquí, con nosotros. Cerca de Blanca que la martirizará, día y noche, repitiendo las mismas palabras. Cerca de mí, que no podré perdonarle nunca que, por su culpa, ningún hombre volverá a mirarme sin malicia y sin desprecio. !Y yo no me casaré ni tendré hijos ni podré salir de este infierno ya nunca porque soy la hermana de una prostituta!

Don Rafael asió violentamente el brazo de Yolanda

y le ordenó:

—¡Calla!

Mientras tanto Blanca había vuelto a la superficie, después de una profunda meditación, dueña de un descubrimiento:

—Yo no podía entender por qué se había matado. Pero ahora lo sé, estoy segura: Rafael se mató de vergüenza, de remordimiento. ¡Cómo si él hubiera sido el único culpable!

Doña Ernestina sonrió y tomó la mano de Blanca entre las suyas y con la paciencia con que se explican las cosas más obvias a un niño o a un imbécil, le dijo:

—Pero si Rafael no se mató, criatura. Todos sabemos que fue una desgracia. ¿Cómo iba a causarnos voluntariamente una pena así? ¡Era tan bueno! ¿No cree usted don Carlos?

En vez de responder, don Carlos se dispuso a irse.

—Señora, yo no sólo no tengo derecho a opinar sino que ni siquiera deseo oir estas discusiones.

—Estos disparates, puntualizó con inesperada energía, don Rafael. ¡Basta ya! Hijas, su madre no se siente bien. Es necesario que la acompañen hasta su cuarto y que la atiendan.

—¿Yo también, papá? —quiso saber, con un último vestigio de esperanza, Romelia.

—Tú también. Lo que don Carlos y yo vamos a tratar es asunto de hombres.

Cuando las mujeres se hubieron marchado don Carlos quiso adelantarse a aclarar que no había ningún asunto pendiente excepto el que concernía a las pertenencias de Romelia y que serían devueltas con el mayor escrúpulo y la mayor prontitud posible. Pero don Rafael insistió y don Carlos no pudo soportar el espectáculo de alguien cuya única fuerza persuasiva era la ancianidad y volvió a sentarse.

—No tema usted, don Carlos. No voy a pedirle nada que vaya contra su dignidad puesto que yo estimo demasiado la mía y quiero ponerla por encima de todo este desastre. Ellas, ya lo ha visto usted, ruegan, juran que son inocentes, son capaces de recurrir a cualquier medio con tal de no arrostrar las consecuencias de sus actos. ¿Qué otra cosa puede esperarse de las mujeres cuya naturaleza es débil, hipócrita y cobarde? Pero mientras en esta casa haya un hombre ese hombre dará la cara por ellas para pagar lo que sea necesario. Yo, personalmente, asumo la entera responsabilidad de los hechos. Sin conocimiento mío y, mucho menos con mi anuencia, eso sí puedo asegurárselo, ha sido sorprendida su buena fe y se le ha causado un daño moral irreparable. Sin embargo estoy dispuesto a hacer lo que usted considere preciso para darle la satisfacción pública que usted exija.

Don Carlos, al tiempo que se ponía de pie, extendió la mano para estrechar la del viejo.

—Si el otro hombre hubiera sido tan íntegro como usted, esta desgracia se habría evitado.

Y, girando sobre sus talones, don Carlos se marchó.

A la hora de la siesta, cuando las patronas se adormilan en la hamaca, mientras una criadita joven (demasiado joven para desempeñar ningún otro quehacer más rudo o más delicado) le soba las plantas de los pies o le cepilla el cabello; cuando la colegiala da vueltas alrededor de sus cuadernos, sin decidirse a comenzar la tarea; cuando el adolescente solitario busca, debajo del colchón, el libro pornográfico y se encierra con llave para no ser sorprendido leyéndolo; cuando la bordadora queda, un instante, con la aguja en suspenso y oye los pasos de afuera y aguarda, con el corazón palpitante, que el esperado llegue hasta su soledad; cuando las siervas de cocina se chancean entre estrépito de vajilla a medio lavar; cuando el sastre, apoyado en el metro de madera como en un bastón, se para a media banqueta, frente a su taller; cuando el comerciante destranca las puertas de su tienda para disponerse a atender a una clientela que no se da prisa en venir; cuando la vendedora de dulces concede una tregua a su lucha contra las moscas; cuando el hambre que nace del ocio pide su presa para devorarla, fueron transportados los enseres de Romelia Orantes de la casa del doctor Carlos Román a la de sus padres.

La procesión de mozos que cargaban baúles de ropa,

VENGANZA

cajones llenos de objetos cuyo uso era materia de conjeturas, estuches de joyas y fruslerías, fue presenciada por el pueblo entero.

La que, por discreción, no abrió sus ventanas, descorrió sus visillos y el que no suspendió el juego de billar dejó el retazo de tela a medio medir sobre el mostrador, para estar presente en un espectácuo tan inusitado.

Los rumores se elevaron casi inmediatamente al nivel del comentario que se hace en voz alta, de balcón a balcón, de banqueta a banqueta y las preguntas a los cargadores fueron directas aunque las respuestas parecieron insuficientes. Entonces las personas de más viso comenzaron a elaborar hipótesis, atrevidas, insolentes lastimosas, pero siempre cómicas. El ridículo irradiaba como una aureola en torno de las figuras de los protagonistas del suceso. ¿Quién era Carlos Román? ¿Un novio engañado? ¿Un marido impotente? ¿Y Romelia? ¿Una mujer liviana? ¿Una víctima? ¿Y los Orante? ¿Pretendieron hacer pasar gato por liebre al yerno o la nuez, tan vistosa por fuera, les salió vana? Hubo quien jurara y perjurara que el intríngulis estaba en la dote, una dote que, ya consumado el matrimonio, don Rafael se negó a hacer efectiva. Y no faltó quien asegurara que el espíritu de la difunta Estela se les había aparecido a los recién casados y los persiguió toda la noche haciéndolos casi enloquecer de terror. Y únicamente lograron conjurar el fantasma prometiéndole que se separarían para siempre.

El oleaje de palabras crecía, se transformaba, se mezclaba con antiguas leyendas y llegó hasta el retiro de don Evaristo Trejo quien, al principio, se negó a dar crédito a sus oídos y luego, ante la evidencia que le mostraron sus ojos, no tuvo más remedio que acudir, presurosamente, a casa de su amigo, don Carlos.

Doña Cástula lo vio llegar como agua de mayo. Había pasado la mañana entera empacando lo que apenas ayer había acabado de acomodar en los muebles. Su posición en la casa le impedía hacer ninguna pregunta cuando se le dictaba una orden pero como no se explicaba lo acontecido sino por una causa muy grave, temía por la salud y aun por la vida de su amo. Porque, desde su regreso de la casa de los Orantes, y después de haber dictado las disposiciones para que las cosas de Romelia le fueran devueltas, se había encerrado en su estudio, había prohibido la entrada a todos y se negaba a probar bocado.

—Las prohibiciones no rezan conmigo —afirmó don Evaristo y, absolviendo de antemano a doña Cástula del pecado de desobediencia en que iba a incurrir, se dirigió a la habitación a la que suponía que no podría penetrar más que forzando las puertas. Pero a su primer llamado le contestó la voz tranquila, inalterada de don Carlos.

—Adelante.

El recien llegado lo observó sin hallar en su aspecto ningún signo que produjera alarma. Así que fue a acomodarse en el sillón de costumbre mientras don Carlos echaba llave a la puerta. Mientras lo hacía, dijo:

—Lo esparaba, padre. Ya comenzaba a preocuparme su tardanza.

—Apenas acabo de saber. . . ¿Qué es esto monstruoso que me cuentan? ¿Que Romelia ya no está aquí? ¿que ha vuelto a casa de sus padres?

—Sí. Yo mismo la he llevado esta mañana.

—Y lo dice usted como si la hubiera llevado a dar un paseo. Todavía ignoro los motivos. Pero sea de quien sea la culpa, entre los dos han violado un juramento hecho apenas ayer ¿se da usted cuenta? ayer, ante Dios.

—Y usted había salido fiador nuestro.

—Oh, qué importa eso.

—Lo que importa es que para que nos hayamos visto obligados a cometer tal. . . ¿se dice sacrilegio? debe usted considerar que hubo causas poderosísimas, obstáculos insalvables.

—Claro, la soberbia y el orgullo de los hombres se estrellan ante la primera insignificancia.

—¿Es una insignificancia descubrir que la esposa ha hecho uso ya de su cuerpo antes del matrimonio?

—No. Pero nada, ni aún eso, lo autoriza a usted a haber faltado de tal modo a la caridad. Y no me suponga usted tan estúpido como para creerlo inclinado a ser caritativo con ella, sino con usted mismo. ¡Qué buen pasto de escándalo ha proporcionado usted al pueblo! Y no sólo a costa de esa pobre mujer, cuya vida ha quedado deshecha, sino también a costa suya. Todo lo que a usted concierne, hasta sus atributos de varón, ha sido puesto en entredicho por los murmuradores. Pero eso lo tiene sin cuidado. No se tentó usted el alma para tomar semejante decisión ¿verdad?

Don Carlos había escuchado la exaltada alocución de don Evaristo con un gesto de paciencia y cuando respondió fue como si reprochara.

—Creí que me conocía usted mejor, padre, como para no suponerme capaz de obrar irreflexivamente, arrastrado por mis impulsos hasta el grado de atropellarme a mí mismo. No. Yo calculo, yo pienso, yo puedo esperar todo el tiempo que sea necesario. Lo que ha pasado ahora no es más que el desenlace de una historia muy larga, tan larga que no sé si tendrá usted la paciencia o el deseo de escucharla.

—¡Por Dios!

—De todos modos, como no quiero abusar del amigo, recurro al sacerdote. Voy a confesarme con usted, padre.

—¿Confesarse? Cuando se lo pedí para la boda se negó usted.

—Entonces todavía no era oportuno. Ahora sí.

Don Evaristo miró a su interlocutor, por primera vez, con desconfianza. Recelaba una burla, acaso una profanación. Don Carlos sonrió, comprendiendo los escrúpulos del otro.

—No tiene usted derecho a negarme lo que le da a cualquier beata, sólo porque lo que en ella no es más que un hábito mecánico que ha perdido ya su significación, en mí es un acto libre y espontáneo de mi voluntad.

Don Evaristo se puso la estola, que llevaba siempre consigo y, con la cabeza entre las manos, murmuró las oraciones introductorias que el penitente, a quien había ordenado que se arrodillase frente a él, no pudo seguir. Por fin alzó la cara y demandó:

—Di tus pecados. Sin omitir nada. Sin atenuar nada. Quiero, en nombre del único que puede absolverte, la verdad.

Pero en vez de obedecer don Carlos insistió hasta estar seguro.

—¿Lo que yo diga ahora cae bajo lo que ustedes llaman el secreto de confesión? ¿Ese secreto inviolable que los sacerdotes están obligados a guardar aun a costa de su propia vida?

—Sí.

Don Carlos se puso de pie, respiró, aliviado, y el tono de su voz y su actitud, cambiaron. Ya no se preocupaba más ni de fingir una reverencia que no sentía ni de mantener una reserva que no necesitaba. Paseándose, de un lado a otro de la habitación, comenzó a hablar.

—No, usted no se imagina, ¿cómo va a imaginárselo si no se ha enamorado nunca, lo que se dice enamorarse hasta los tuétanos? el ansia con que se espera el momento en que el ser que amamos va a entregársenos y a pertenecernos para siempre. Le juro que cuando abrí la puerta de la casa para dejar que entrara la que ya era mi mujer, estaba yo temblando. De alegría, de miedo. Porque estar a solas por primera vez con el ser que se ama, no es fácil. Hay, al mismo tiempo, un deseo de posesión y una necesidad de venerar que empuja y que paraliza. . .

—Ahórrese esas retóricas —interrumpió con sequedad don Evaristo— que me las tengo bien sabidas en mis lecturas de los místicos.

—Bien. Cuando entramos, ella me pidió que la disculpara un momento. Debía cambiarse de ropa, peinarse, hacer alguna de esas cosas con que las mujeres gustan de recordarnos que lo sublime no es su tesitura y que, para amarlas, tal como son y como quieren ser amadas, no nos queda más remedio que rebajarnos a su nivel.

—De nuevo nos perdemos en divagaciones.

—Tiene usted razón. El caso es que ella fue adonde dijo que iba, si es que, después de todo, puedo creer en alguna de sus palabras, y yo decidí esperarla aquí, donde nos encontramos ahora: en el estudio. Mi disposición de ánimo era muy peculiar. Estaba nervioso, impaciente, no acertaba a acomodarme, cuando entró doña Cástula con un paquete en la mano. Dijo que acababa de dárselo un desconocido y que le había recomendado muy encarecidamente que me lo entregara de inmediato. Que se trataba de un regalo y que lo único que valía de él, además de la intención, era la oportunidad con que llegara a mis manos. Quedé solo con el paquete y, como mi mujer tardaba, de un modo mecánico, inconsciente casi, comencé a abrirlo. Eran una cartas. Estas cartas. Léalas usted.

Mientras don Carlos pronunciaba las últimas frases había ido hasta el escritorio, abierto la llave del único cajón que siempre mantenía cerrado y extraído un fajo de papeles, amarillentos, manoseados mil veces, con la tinta palidecida por los años. Pero aún, sobre la superficie, podían distinguirse bien las palabras. La letra era regular, clara, impersonal, obviamente aprendida y ejercitada siguiendo los modelos caligráficos de un convento. La ortografía era caprichosa y el estilo sencillo y directo, ingenuo y apasionado.

No encabezaba las cartas nombre alguno sino apodos cariñosos en que se mezclaba un poco la burla y un mucho la ternura. Y luego iban desplegándose esos párrafos largos en que los enamorados hacen protestas de su constancia y ponderaciones de la intensidad de sus sentimientos; donde claman celos, lamentan ausencias, satisfacen sospechas y juran y juran y juran.

Las cartas tampoco estaban señaladas por una fecha pero se notaba el transcurso del tiempo al través de ellas por la intimidad de que iban impregnándose. Intimidad física, alusiones a contactos en los que el pudor se rendía, lenta pero ineluctablemente, ante la sensualidad. Y luego, lo de rigor. La languidez de la entrega, los sobresaltos del remordimiento, las alarmas ante las posibles consecuencias, el miedo ante el peligro de que el secreto fuese averiguado, los primeros asomos de desconfianza, los reproches al abandono del amante, el descubrimiento de la fragilidad de sus promesas y el horror de ver en los ojos amados no únicamente la propia imagen envilecida sino, a ratos, el vacío.

Pero de pronto surgía un nombre: el del doctor don Carlos Román. Al principio se le mencionaba con cierto dejo de petulancia. ¿A qué mujer no le halaga ser amada y no le sirve mostrar el amor que suscita en otro al amante que comienza a hastiarse de ella? Don Carlos era útil como estímulo, como rival. Pero poco a poco iba adquiriendo otro perfil, una consistencia más sólida que le confería la familia al convenir, de un modo unánime, que era el mejor partido al que la muchacha podía aspirar y que si sus intenciones eran serias, como todo parecía indicarlo, no debía, por ningún motivo desaprovecharse la ocasión. La muchacha se atrevió quizá alguna vez, a discrepar de las opiniones de los otros. Pero fue tan duramente reprendida y castigada que no le quedó otro recurso que fingir conformidad. Su condena, salvo que el destinatario de las cartas la evitara, era el matrimonio con el doctor Carlos Román.

Ah, qué desmelenamientos de desesperación; qué sarcasmos para calificar a este hombre cuya fuerza (su dinero, su título, su apellido) la aplastaba. Qué ensañamiento para sus defectos, que clarividencia para sus manías, que ceguera ante sus cualidades, que burla tan cruel para sus sentimientos, que descripción tan minuciosamente implacable de sus visitas, de sus conversaciones, que desprecio para sus regalos. Todo su odio y su impotencia cristalizaron en una definición: el bruto. Nunca volvió a referirse a don Carlos más que bajo ese nombre.

Y lo mencionaba sólo para pedir auxilio al otro, al desdeñoso que, según se colegía de las cartas, aconsejaba el matrimonio de interés, no como un sacrificio de sus placeres sino como la condición indispensable para seguir gozando con impunidad, y en terreno seguro, de ellos.

Allí se suspendía la correspondencia. ¿Por qué? ¿Ante tal cinismo la autora de las cartas reaccionó, ofendida, con el silencio? ¿O en alguna entrevista verbal aceptó el pacto? En la última página una mano de hombre había trazado una frase:

"Que te haga buen provecho."

Don Evaristo alzó los ojos, atónito. Había leído treinta, cincuenta veces la firma y aún no era capaz de dar crédito a sus ojos:

—¡Pero estas cartas son de Estela!

—¡Qué imprudente! ¿Verdad? Omitió todas las pistas, menos las que la señalaban a ella. ¡Y, por Dios, don Evaristo, no ponga usted esa cara de sorpresa porque voy a tener que reírme! La que yo puse, la primera vez que tuve entre mis manos esos papeles, ha de haber sido peor. Digo, porque cuando Estela entró en el cuarto y me miró, quedó como petrificada. Era miedo. Pero cuando descubrió las cartas, su expresión cambió. Le juro que no he visto nunca, en ningún rostro humano, un gesto igual de sufrimiento. Y no era por mí, entiéndalo usted, por quien sufría, pues no le importaba mi desprecio que jamás igualaría al suyo. El miedo inicial se transformó en júbilo y yo sorprendí en sus ojos la esperanza de morir allí mismo, a mis manos. Yo creí que lo que le dolía era la traición del otro. Pero también me equivoqué. El otro, a pesar de que ella se había plegado a sus exigencias, hasta el punto de casarse conmigo, había ido mostrándose cada vez más displicente, más esquivo hasta suspender por completo sus entrevistas y devolverle sus cartas sin abrir. Ella supuso que ya no la quería y he aquí, que de pronto, tenía ante sus ojos una prueba irrefutable de su despecho a la que ella se asía, desesperadamente, como a una señal de amor. No, no podía permanecer aquí ni un minuto más. Intentó salir corriendo a la calle a buscar al otro, a agradecerle la canallada que acababa de cometer, qué se yo. El caso es que no la dejé. La detuve por la fuerza y nos pasamos la noche entera luchando. Yo hablaba, como un loco, maldecía, suplicaba, prometía. Y ella no cesaba de llorar, tiritaba de frío, de fiebre, se inclinaba ante los golpes, pero no decía ese nombre, el nombre que no escribió nunca y que yo nunca iba a saber porque desde entonces, Estela ya no pudo volver a hablar.

—Con su silencio estaba defendiendo la vida del otro y tal vez la de usted, don Carlos. Porque en la exaltación en que se encontraba usted habría sido capaz de matar.

—No, no fue así. Yo amaba a Estela con la misma falta de orgullo con que ella amaba al otro. Yo la habría perdonado. . .

—Eso dice usted ahora.

—Eso lo juré entonces. Le propuse que quamáramos las cartas, que olvidáramos esa noche de pesadilla, le prometí que yo no volvería a preguntar nada nunca. Pero Estela no me escuchaba siquiera. Sólo quería morir.

—¡Pobre criatura!

—Sí, en medio de mi propio dolor, yo también la compadecí. Pero ella no toleraba nada mío; y menos que nada, eso. Como no permitía que me acercara, ni aún para cuidarla porque ya estaba muy enferma, tuve que recurrir a su madre, a extraños. La velábamos de día y de noche. Hice todo lo humanamente posible para salvarla. Pero fue inútil. Estela se negaba a comer, a tomar las medicinas, a seguir las indicaciones. Al menor descuido nuestro se arrancaba las agujas de suero con que pretendíamos mantenerla viva y las sondas con que la alimentábamos artificialmente. Yo estaba siempre junto a su cabecera, esperando que en algún momento de inconsciencia, de delirio, llamara al otro. No lo hizo. Y cuando le ofrecí traerlo para que lo viera por última vez movió la cabeza negando con tal vehemencia que agotó la fuerza que le quedaba. Así que murió como se lo había propuesto: por él.

Hubo una pausa en la que don Carlos respiró profundamente para poder continuar.

—Me quedé solo. Rehusé la compañía de mi suegra y evité la solicitud de mis amigos. Porque necesitaba pensar. ¿Quién había sido él, ese hombre al que Estela se había inmolado? En principio, cualquiera. Acaso el amigo que venía a ofrecerme sus consuelos, a darme el pésame. Pero cuando, apenas pasados unos días del entierro de mi mujer supe lo de la muerte de Rafael Orantes, comencé a ver claro.

—¿Por qué? Podía tratarse de una simple coincidencia.

—Porque Rafael no murió en un accidente de cacería como se hizo creer. Sino que se suicidó. De vergüenza y de remordimientos. Y eso no lo invento yo. Eso lo sostiene su hermana Blanca.

—Esa mujer no está en sus cabales. Ve culpas donde no las hay.

—¿Qué puede hacer la pobre si le faltan los elementos principales? Pero yo, que los he tenido aquí, siempre a la mano, fui atando cabos, poco a poco. ¿Para qué apresurarme, ahora que Rafael me había quitado tanto la posibilidad de venganza como la de comprobación de que mis sospechas eran ciertas?

—¿En qué se basaban?

—En que Rafael y Estela habían sido novios. Aparentemente la aventura no tuvo importancia, no llegó siquiera a cuajar en noviazgo. El era un inconstante y ella obedeció la prohibición maternal. Pero a escondidas de todos siguieron viéndose. Y, a juzgar por las cartas, no sólo viéndose. Mi suegra, sin darse cuenta, en conversaciones que parecían triviales, me proporcionó muchos datos. Pero me faltaba el último, el definitivo, el único que podía servir de prueba irrefutable. Fue entonces cuando supe lo del relicario de Romelia.

Don Evaristo había ocultado su rostro entre sus manos.

—¡Jesús! ¡Jesús!

—No padre, de nada le sirve cerrar los ojos. Aquí está el papel. ¡Mírelo, compare lo que ese hombre escribió a su hermana con lo que me escribió a mí: es la misma frase, es la misma letra!

Don Evaristo, presionado violentametne por don Carlos, se esforzaba por hallar una semejanza que para el otro resultaba tan evidente. Pero los rasgos habían sido limados por el tiempo, desfigurados por los dobleces del papel.

—No. Este testimonio no es suficiente.

—¿Cómo que no? ¡Pero si aquí está todo claro, indudable! Sólo el que no quiere ver no ve. Y usted no quiere.

—Y usted sí quiere y ve únicamente lo que quiere.

El rostro de don Carlos se encendió en cólera. Gesticulaba, esgrimía los dos trozos de papel, comparaba una letra con otra hasta que el padre Trejo se dio por vencido.

—Pero aun suponiendo que tenga usted razón y que Rafael no hubiera muerto en un accidente sino que se hubiera suicidado...

—Como lo asegura su propia hermana.

—...aun suponiendo, digo, ¿no bastaba su sangre para borrar su culpa? ¿Por qué tenía que pagar también una inocente?

—¿Cuál inocente?

—La víctima de todo este enredo: Romelia.

—Ah, sí. ¡Pobre Romelia! Pero no se puede ser impunemente la consentida de un asesino ni guardar la prueba del asesinato sin correr ningún riesgo. Recuerde usted que ella era la dueña del relicario y que no lo abandonaba nunca, bajo ninguna circunstancia.

—¿Y para apoderarse de él armó usted esta maquinación infame?

—¿Se refiere usted a la boda?

—Me refiero a todo. A nuestro encuentro "casual" ante el lecho de Enrique Suasnávar. A la hospitalidad que me brindó usted en su casa. A la manera tan suave con que fue usted orillando nuestros temas de conversación hacia el matrimonio. Yo se lo aconsejaba, claro. ¡Estaba usted tan solo! Yo pretendía orientarlo pero siempre mis proposiciones eran deshechadas por un motivo o por otro. Naturalmente. Su plan ya estaba trazado.

—Sobreestima usted mi habilidad, padre.

—Mejor dicho, mido mi estupidez. Aunque tampoco habilidad es el término adecuado para lo que usted ha hecho.

—Si quiere usted desahogarse, calificándome, puede hacerlo. Le prometo que no me ofenderé.

—No faltaba más. Nada puede turbar su satisfacción por el éxito. Ni siquiera el recuerdo de esa inocente cuya vida ha usted destruido.

—¿Por qué está usted tan seguro de la inocencia de Romelia? ¿Porque no escribe cartas? ¿Porque si las escribe su corresponsal es discreto? No, don Evaristo. Se puede pecar de ingenuidad una vez. Pero no dos.

—Usted para justificarse, la acusó de que no era virgen.

—¿Qué importancia tiene que hubiera sido virgen o no? Para un profano la virginidad es una garantía pero no para un médico. Hay virginidades de segunda, de tercera, de enésima mano. Y en mi profesión hay quienes se especializan en reparaciones de estropicios.

—El tono y la terminología que está usted empleando no son ya los que puede escuchar un confesor. Pero antes de terminar quiero que me diga usted una cosa: ¿qué habría usted hecho si hubiera encontrado vacío el relicario o diferentes las letras?

A Don Carlos lo tomó de improviso la pregunta pero reaccionó con prontitud.

—El caso es que el relicario guardaba un papel y que las letras eran iguales. No me quedaba otra alternativa.

—Y a mí tampoco me queda otra que negarle la absolución a menos de que se arrepienta de lo que ha hecho y restituya a la familia Orantes la honra que le ha arrebatado.

—Lo que he hecho, padre, es restituir. No olvide

usted que alguien de esa familia me había deshonrado primero.

Don Evaristo comenzó a despojarse de la estola.

—No entiendo ese espíritu de venganza.

—Ya no necesitamos entendernos, padre, puesto que ya no vamos a hablarnos.

—Yo no le he retirado mi amistad, don Carlos.

—Ah, no. Conozco esa trampa no voy a caer en ella. Su celo apostólico lo obligará a venir, noche a noche, a platicar con el réprobo, a minarlo hasta que se arrepienta y dé a sus víctimas una satisfacción completa y pública. Pero me temo, don Evaristo, que nuestros planes no coinciden. Después de tantos años de lucha creo que me he ganado bien un descanso. Así que a partir de hoy suspendí ya mis consultas y la visita de usted será la última que reciba.

—¿Va usted a encerrarse de nuevo en la buena compañía de sus papeles?

Don Carlos había empezado a ordenar las cartas con la rapidez que sólo proporciona la costumbre y luego colocó encima de ellas, como coronándolas, el papel que Romelia había guardado tanto tiempo en su relicario y de cuya desaparición quién sabe si llegaría a darse cuenta alguna vez.

[illegible]

Don [illegible] empezó a despojarse de la casulla.

—No [illegible] de vergüenza.

—¿Pero [illegible] pedro [illegible] que ya no [illegible].

—Ya me lo he [illegible] don [illegible].

[illegible] hasta que se arre- [illegible] satisfacción completa [illegible]. Pero no [illegible] dor [illegible] que a partir de hoy [illegible] y la [illegible] de [illegible] será la última que [illegible].

—Vamos a empezar de nuevo, en la tierra, [illegible]

Don [illegible] había empezado [illegible] las [illegible] que [illegible] y [illegible] el papel que [illegible]

Impresión:
Editorial Melo, S. A.
Av. Año de Juárez 226-D
09070 México, D. F.
10-XII-1991
Edición de 3000 ejemplares

Narrativa y poesía en Biblioteca Era

Jorge Aguilar Mora
Una muerte sencilla, justa, eterna. Cultura y guerra durante la revolución mexicana
Claribel Alegría
Pueblo de Dios y de Mandinga
Dorelia Barahona
De qué manera te olvido
José Carlos Becerra
El otoño recorre las islas. Obra poética, 1961/1970
Mario Benedetti
Gracias por el fuego
Miguel Bonasso
Recuerdo de la muerte
Carmen Boullosa
Son vacas, somos puercos
Luis Cardoza y Aragón
Miguel Ángel Asturias. Casi novela
Rosario Castellanos
Los convidados de agosto
Carlos Chimal
Cinco del águila
Isabel Fraire
Sólo esta luz
Carlos Fuentes
Aura
Una familia lejana
Los días enmascarados
Eduardo Galeano
Días y noches de amor y de guerra
Gabriel García Márquez
El coronel no tiene quien le escriba
La mala hora
La increíble y triste historia de la cándida Eréndira y de su abuela desalmada. Relato ilustrado a color por Roberto Fabelo
Juan García Ponce
La noche

Francesca Gargallo
Calla mi amor que vivo
José Luis González
La galería
El oído de Dios
Georg Groddeck
El escrutador de almas. Novela psicoanalítica
David Huerta
Incurable
Cuaderno de noviembre
Efraín Huerta
Transa poética
Bárbara Jacobs
Escrito en el tiempo
Las hojas muertas
Doce cuentos en contra
Noé Jitrik
Limbo
José Lezama Lima
Paradiso
Oppiano Licario
Muerte de Narciso. Antología poética
Malcolm Lowry
Bajo el volcán
Héctor Manjarrez
No todos los hombres son románticos
Canciones para los que se han separado
Pasaban en silencio nuestros dioses
Daniel Martínez
La noche del 25
Samuel Walter Medina
Sastrerías
Miguel Méndez
Peregrinos de Aztlán
Que no mueran los sueños
Augusto Monterroso
La palabra mágica
La letra e

Viaje al centro de la fábula
La Oveja negra y demás fábulas
Obras completas (y otros cuentos)
Movimiento perpetuo
Lo demás es silencio
José Emilio Pacheco
Los elementos de la noche
El reposo del fuego
No me preguntes cómo pasa el tiempo
Irás y no volverás
Islas a la deriva
Desde entonces
Los trabajos del mar
Miro la tierra
Ciudad de la memoria
El viento distante
Las batallas en el desierto
La sangre de Medusa
Octavio Paz
La hija de Rappaccini
Senel Paz
El lobo, el bosque y el hombre nuevo
Sergio Pitol
El desfile del amor
Domar a la divina garza
Vals de Mefisto
Juegos florales
Cuerpo presente
La vida conyugal
Elena Poniatowska
Lilus Kikus
Hasta no verte Jesús mío
Querido Diego, te abraza Quiela
De noche vienes
La "Flor de Lis"
Agustín Ramos
Al cielo por asalto

José Rodríguez Feo

Mi correspondencia con Lezama Lima

Juan Rulfo

Antología personal

El gallo de oro. Y otros textos para cine

Paloma Villegas

Mapas